LIVROS QUE
CONSTROEM

CB013324

CIP-Brasil. Catalogação-na-Fonte
Câmara Brasileira do Livro, SP

B466d
11.ed.

Bettger, Frank, 1888-
 Do fracasso ao sucesso na arte de vender /
Frank Bettger ; tradução de Anny Brunner
Planet. — 11. ed. — São Paulo : IBRASA,
1978.

1. Vendas - Aspectos psicológicos 2. Vendedores I. Título.

78-1092   CDD-658.85

Índices para catálogo sistemático:
1. Vendas e vendedores   658.85
2. Vendedores : Administração mercadológica   658.85

Do Fracasso Ao Sucesso Na Arte De Vender

Biblioteca
ÊXITO
— 1 —

Volumes publicados:

1. *A. Cinco Grandes Regras do Bom Vendedor* — P. Whiting
2. *Nova Técnica de Convencer* — Vance Packard
3. *Vença Pelo Poder Emocional* — Eugene J. Benge
4. *Simplificação do Trabalho* — R. N. Lehrer
5. *Do Fracasso ao Sucesso na Arte de Viver* — Harold Sherman
6. *Técnicas de Delegar* — Donald A. Laird
7. *Administração Humanizada* — A. J. Marrow
8. *Por que Elas Compram?* — Janet Wolf
9. *TNT — Nossa Força Interior* — Claude M. Bristol / H. Sherman
10. *O Segredo da Eficiência Pessoal* — Donald A. Laird
11. *Novas Técnicas de Direção* — Auren Uris
12. *Liderança* — Auren Uris
13. *Realize Suas Aspirações* — Elmer Wheeler
14. *Técnicas Construtivas de Argumentação e Debate* — R. L. Cortright / G. L. Hinds
15. *Dinamize Sua Personalidade* — Elmer Wheeler
16. *O Caminho do Otimismo e da Felicidade* — Pierre Vachet
17. *Formação de Dirigentes* — Auren Uris
18. *Venda Mais e Melhor* — Wallace K. Lewis
19. *A Chave do Sucesso* — D. W. Damroth
20. *Administração Racional de Empresas* — 12 vols. — Karl Ettinger
21. *Os Sete Segredos que Vendem* — Edward J. Hagarty

FRANK BETTGER

Do FRACASSO ao SUCESSO
na
ARTE DE
VENDER

Tradução de
Anny Brunner PLANET

29ª EDIÇÃO

IBRASA
INSTITUIÇÃO BRASILEIRA DE DIFUSÃO CULTURAL LTDA.
SÃO PAULO

Título do original norte-americano:
How I Raised Myself from Failure to Success in Selling
Copyright 1949 by Prentice-Hall, Inc.

Traduzido e publicado nas seguintes línguas:

Francês	Japonês
Espanhol	Holandês
Dinamarquês	Norueguês
Alemão	Finlandês
Sueco	Italiano

Dez impressões sucessivas nos Estados Unidos, entre novembro de 1949 e setembro de 1955.

Capa de
Federico SPITALE

Direitos desta
edição reservados à
IBRASA
INSTITUIÇÃO BRASILEIRA DE DIFUSÃO CULTURAL LTDA.

Rua 13 de Maio, 367
Tel. / Fax: (011) 3107-4100
01327-000 – SÃO PAULO – SP

Nenhuma parte desta obra poderá ser reproduzida, por qualquer meio, sem prévio consentimento, por escrito, dos editores brasileiros.

Publicado em 1999

IMPRESSO NO BRASIL – PRINTED IN BRAZIL

A
Hazel, minha esposa

*cujo estímulo, orientação e inspiração
fazem parte de cada página deste livro*

ÍNDICE

Introdução por Dale Carnegie — O que penso deste livro 1

Prefácio do Autor — Como vim a escrever este livro 4

PRIMEIRA PARTE

AS IDÉIAS QUE ME TIRARAM DO ROL DOS FRACASSADOS

Capítulo 1. Como uma Idéia Multiplica Minha Renda e Minha Felicidade 9

Capítulo 2. Esta Idéia me Fez Voltar a Ser Vendedor Depois de Haver Desistido 17

Capítulo 3. Uma Coisa que Fiz e que me Ajudou a Destruir o Maior Inimigo que Jamais Tive de Enfrentar 22

Capítulo 4. A Única Maneira que Achei de me Tornar Organizado 27

Resumo — 34

IX

SEGUNDA PARTE

FÓRMULA PARA O SUCESSO NAS VENDAS

Capítulo 5.	Como Aprendi o Segredo Mais Importante do Vendedor	45
Capítulo 6.	Acertando no Alvo	52
Capítulo 7.	Uma Venda de 250.000 Dólares em 15 Minutos	62
Capítulo 8.	Análise dos Princípios Básicos Usados na Realização Dessa Venda	70
Capítulo 9.	Como Consegui Maior Rendimento de Minhas Entrevistas pelo Processo de Fazer Perguntas	78
Capítulo 10.	Como Aprendi a Descobrir a Razão Mais Importante que Leva os Homens a Comprar	85
Capítulo 11.	A Palavra que Acho Mais Importante Para o Vendedor Tem Apenas Seis Letras	90
Capítulo 12.	Como Descobri a Objeção Oculta	94
Capítulo 13.	A Arte Esquecida que é Mágica na Profissão de Vendedor	103
Resumo —	....	111

TERCEIRA PARTE

SEIS MANEIRAS DE CONQUISTAR E CONSERVAR A CONFIANÇA DOS OUTROS

Capítulo 14.	A Maior Lição que Aprendi Sobre a Maneira de Inspirar Confiança	115

X

Capítulo 15. A Valiosa Lição que Aprendi com um Grande Médico 118
Capítulo 16. A Maneira Mais Rápida que Descobri para Captar Confiança 121
Capítulo 17. Como Ser Posto no Olho da Rua! 124
Capítulo 18. Achei Infalível Este Meio de Ganhar a Confiança de um Homem 128
Capítulo 19. Como Ter Boa Aparência 132
Resumo — 135

QUARTA PARTE

COMO CONSEGUIR QUE AS PESSOAS TENHAM PRAZER EM FAZER NEGÓCIOS COM VOCÊ

Capítulo 20. Uma Idéia Aprendida com Lincoln Ajudou-me a Fazer Amigos 139
Capítulo 21 Como Passei a Ser bem Recebido em Toda Parte 148
Capítulo 22. Como Aprendi a Guardar Nomes e Fisionomias 153
Capítulo 23. O Motivo Principal por que os Vendedores Perdem Negócios 164
Capítulo 24. Como Consegui Vencer o Medo de Falar com Homens Importantes 169
Resumo — 174

QUINTA PARTE

AS ETAPAS DE UMA VENDA

Capítulo 25. A Venda Preliminar 179
Capítulo 26. O Segredo de Marcar Entrevistas .. 189

XI

Capítulo 27.	Como Aprendi a Levar a Melhor a Secretárias e Telefonistas	198
Capítulo 28.	Uma Idéia que me Ajudou a Entrar Para as "Ligas dos Campeões".	202
Capítulo 29.	Como Fazer o Cliente Colaborar na Realização da Venda	207
Capítulo 30.	Como Conquistar Novos Clientes e Fazer com que os Antigos me Recomendem Entusiasticamente	212
Capítulo 31.	Sete Regras Que Sigo Para Fechar um Negócio	224
Capítulo 32.	Surpreendente Técnica de Fechar Negócio que Aprendi com um Grande Vendedor	234
Resumo —	....	241

SEXTA PARTE

NÃO TENHA RECEIO DE ERRAR

Capítulo 33.	Não Tenha Receio de Errar!	245
Capítulo 34.	O Segredo do Sucesso de Benjamin Franklin e os Ensinamentos que dele Tirei	252
Capítulo 35.	Vamos Ter uma Conversa Franca, Você e Eu	258

XII

O QUE PENSO DESTE LIVRO

Conheço o autor, Frank Bettger, desde 1917. Trilhou um caminho áspero. Nunca teve oportunidade de instruir-se convenientemente. Nem pôde completar o curso ginasial. No entanto, sua vida é a história de um grande sucesso.

Seu pai faleceu quando ele era ainda menino, deixando a mãe com cinco filhos pequenos. Com a idade de onze anos, levantava-se às quatro e meia da manhã, para ir vender jornais nas esquinas. Ajudava assim a mãe, que era obrigada a lavar e costurar para manter a família. Bettger contou-me que, naquele tempo, o jantar era muitas vezes apenas um pouco de leite engrossado com fubá.

Aos quatorze anos, teve de deixar a escola, para empregar-se como ajudante de foguista. Aos dezoito, tornouse profissional de futebol,* e durante dois anos jogou como centromédio para o St. Louis Cardinals. Um dia em

---

(*) Trata-se, na realidade, de basebol. Para o leitor brasileiro, entretanto, pouco ou nenhum sentido teriam certas seqüências do livro sobre esse jogo se apenas traduzidas, porquanto o basebol é pouco difundido entre nós. Preferimos, por isso, adaptar todas as referências para futebol. Cremos que assim colocamos o assunto mais ao alcance do leitor, sem prejudicar o espírito do Autor. Esta "traição" repetir-se-á, portanto, sempre que em seu livro Bettger falar em basebol. (Nota do tradutor).

1

Chicago, jogando contra o Chicago Cubs, machucou-se gravemente, o que o forçou a abandonar o futebol. Voltou para Filadelfia, sua cidade natal — foi quando o conheci. Nessa ocasião ele tinha vinte e nove anos de idade, tentava colocar seguros de vida, e era um fracasso como vendedor. Pois bem. Doze anos depois, já tinha ganho dinheiro suficiente para comprar uma fazenda no valor de setenta mil dólares! Se quisesse, poderia ter-se aposentado aos quarenta e nove anos! Isto eu posso afirmar, pois vi como aconteceu. Vi Bettger transformar-se, de um fracassado, em um dos vendedores mais bem sucedidos e mais bem pagos da América. Na verdade, eu o persuadi e acompanhar-me, há alguns anos, a fim de contar a sua história em uma série de cursos de uma semana que eu ministrava sob os auspícios da Câmara Júnior de Comércio dos Estados Unidos, sobre "Treinamento para chefia, Relações humanas e Técnica de vendas".

Frank Bettger tem o direito de falar e escrever sobre esse assunto, pois, por mais de vinte e cinco anos, realizou cerca de quarenta mil contactos de venda, o que dá uma média de cinco entrevistas por dia.

O primeiro capítulo, "Como uma Idéia Multiplica Minha Renda e Minha Felicidade", é para mim a lição mais inspiradora que ouvi na minha vida sobre a força do entusiasmo. Foi o entusiasmo que tirou Frank Bettger do rol dos fracassados e o transformou em um dos vendedores mais bem pagos da nação americana.

Eu vi Frank Bettger gaguejar a sua primeira palestra em público. Vi-o depois deliciar e inspirar grandes auditórios em toda a rota que vai de Portland, Oregon, até Miami, Flórida. Quando verifiquei a extraordinária influência que exerce sobre os homens, insisti para que escrevesse um livro, no qual relatasse *sua* experiência, *sua* técnica e *sua* filosofia de vendas, da mesma forma como o havia feito para milhares de pessoas em todo o país, através de suas conferências.

Aqui está — o livro mais inspirado e mais útil sobre vendas que eu já li. Um livro que ajudará a todos os vendedores seja qual for a sua mercadoria: apólices de seguro, sapatos, navios, cêra para assoalhos ou qualquer outra. Permanecerá um guia seguro mesmo quando Frank Bettger houver desaparecido.

Li este livro página por página. Recomendo-o com entusiasmo. Há quem se disponha a andar um quilômetro para comprar cigarros. Pois bem, quando comecei minha carreira de vendedor, eu não teria hesitado em ir a pé de Chicago a Nova York para comprar um exemplar deste livro se já existisse naquele tempo.

DALE CARNEGIE

COMO VIM A ESCREVER ESTE LIVRO

Um dia, por acaso, tomei o mesmo trem em Nova York que Dale Carnegie. Dale ia a Memphis, Tennessee, a fim de realizar umas conferências.

Disse-me então: "Frank, tenho estado a dar uma série de cursos de uma semana, patrocinados pela Câmara Júnior de Comércio dos Estados Unidos; por que não vem comigo e faz algumas palestras sobre a arte de vender?

Julguei que estivesse brincando e respondi: "Dale, você sabe que não terminei o ginásio. Não poderia fazer conferências."

Dale disse: "Tudo que você terá de fazer é contar-lhes como conseguiu passar de um fracassado a um vendedor bem sucedido. Conte-lhes apenas o que *você* fez."

Refleti e disse: "Bem, creio que isso eu poderia fazer."

Dentro em pouco, Dale e eu estávamos realizando conferências por todo o país. Falávamos ao mesmo auditório durante quatro horas cada noite, por cinco noites consecutivas. Falávamos alternadamente, meia hora cada um.

Mais tarde, Dale disse: "Frank, por que não escreve um livro? Muitos desses livros sobre vendas são escritos por gente que nunca vendeu cousa alguma. Por que não escreve um tipo de livro diferente, um livro que conte exatamente o que você fez, um livro que conte como foi que você conseguiu alcançar sucesso como vendedor, depois de ter sido um fracasso. Conte a história de sua própria vida. Ponha a palavra "eu" em cada frase. Não dê lições, apenas conte a história de sua vida como vendedor."

Quanto mais eu pensava naquilo, mais achava que soaria como egoísmo e presunção.

"Não quero fazer isso," disse a Dale.

Mas Dale passou uma tarde inteira tentando convencer-me a contar minha própria história, exatamente como o tinha feito nas conferências.

Disse-me o seguinte: "Em cada cidade onde fazíamos nossas palestras, aqueles jovens da Câmara de Comércio me perguntavam se Frank Bettger ia reunir suas conferências em forma de livro. Você decerto pensou que aquele moço em Salt Lake City estivesse brincando quando adiantou 40 dólares pelo primeiro exemplar do livro — mas não estava. Ele sabia que valeria para ele muitas vezes 40 dólares..."

Assim, pouco tempo depois, eu estava escrevendo um livro.

Nestas páginas, tentei contar a história dos erros e enganos que cometi, e o que foi precisamente que me arrancou das fileiras dos fracassados e desesperados. Quando entrei no ramo das vendas, eu tinha duas desvantagens contra mim. Não sabia coisa alguma do assunto. Meus oito anos de futebol pareciam ter me deixado completamente incapaz para qualquer coisa que mesmo de longe se assemelhasse à profissão de vendedor. Se os Lloyds de Londres por acaso estivessem fazendo apostas a meu respeito, teriam apostado mil contra um em meu fracasso. E eu mesmo não tinha muito mais confiança em mim do que os Lloyds.

Espero que me perdoem o uso do pronome pessoal "eu". Se alguma coisa neste livro soar como se eu estivesse querendo me vangloriar, acreditem que não era essa a minha intenção. Qualquer orgulho que transpareça é pelo que essas idéias representam para mim, pelo valor que para mim tiveram, e que terão para *quem quer* que as queira aplicar.

Tentei escrever a espécie de livro que procurei quando quis começar a vender. Aqui está: Espero que lhes seja útil.

Primeira Parte

ESTAS IDÉIAS TIRARAM-ME DO ROL DOS FRACASSADOS

1. COMO UMA IDÉIA MULTIPLICA MINHA RENDA E MINHA FELICIDADE

Pouco tempo depois de iniciar minha carreira de jogador profissional de futebol, tive um dos maiores choques de minha vida. Isto foi em 1907. Estava jogando por Johnstown, Pensilvânia, na Liga Tri-Estadual. Eu era jovem e ambicioso — sonhava com a glória — e o que é que acontece? Fui despedido! Toda a minha vida poderia ter sido diferente se eu não tivesse procurado o diretor e perguntado *por que* me havia despedido. De fato, não teria tido o raro privilégio de escrever este livro se não lhe tivesse feito aquela pergunta.

O diretor disse que me despedira porque eu era preguiçoso! Com efeito, essa era a última coisa que eu esperava ouvir.

"Você se arrasta pelo campo como um veterano que esteve jogando futebol durante vinte anos," disse-me ele. "Por que não se mexe, se não é preguiçoso?"

"Sabe, Bert," disse eu, "fico tão nervoso, tão apavorado, que procuro esconder meu medo do público, e especialmente dos outros jogadores do time. Além disso, tenho a esperança de, jogando com calma, livrar-me do nervosismo."

"Frank," disse ele, "isso não dá certo. Desse jeito você nunca fará coisa alguma. Não sei o que você vai fazer agora, mas, seja lá o que for, acorde, rapaz, e trate de pôr alguma vida, algum entusiasmo no seu trabalho!"

Eu ganhava 175 dólares por mês em Johnstown. Depois de ser despedido lá, fui para Chester, Pensilvânia, e entrei para a Liga Atlântica, onde me pagavam apenas 25 dólares por mês. É claro que não podia sentir muito entusiasmo por tão pouco dinheiro, mas comecei a *atuar* como se estivesse entusiasmado. Depois de três dias, um velho jogador de bola, Danny Meehan, chegou-se para mim e disse: "Frank, não posso entender o que é que você está fazendo aqui neste clube de várzea!"

"É, Danny," respondi, "se eu soubesse como conseguir um emprego melhor, iria para qualquer lugar."

Uma semana depois, Danny havia induzido New Haven, Connecticut, a me dar uma oportunidade. Meu primeiro dia em New Haven ficou-me gravado na memória como um dos grandes acontecimentos de minha vida. Ninguém me conhecia naquele clube, e assim tomei a resolução de que ninguém jamais me acusaria de preguiçoso. Resolvi até criar a fama de ser o jogador mais entusiasmado já visto no Clube da Nova Inglaterra. Pensei que, uma vez adquirida tal fama, eu me veria obrigado a sustentá-la.

Desde o instante em que apareci no campo, movimentei-me como um homem eletrificado. Atuei como se estivesse carregado com um milhão de baterias. Num dado momento, aparentemente caindo na cilada armada por um jogador adversário, consegui desviar a bola e chutar com tal violência e precisão que marquei o tento decisivo. Dei um verdadeiro "show", era como se eu estivesse desempenhando uma cena. O termômetro naquele dia marcava quase 38 graus. Nem sei como não tive um ataque de insolação, do jeito que corri pelo campo aquele dia.

E o resultado? Pois foi uma verdadeira mágica. Três coisas sucederam:

    1. Meu entusiasmo venceu quase inteiramente o meu medo. Na verdade o meu nervo-

sismo começou a agir *em meu favor*, e joguei muito melhor do que me julgava capaz de jogar. (Se você é nervoso, seja grato por isso. Não procure dominar os nervos, mas faça com que eles joguem *por* você.)

2. Meu entusiasmo contagiou os outros jogadores do time, e também eles passaram a atuar com entusiasmo.

3. Em vez de desmaiar com o calor, senti-me melhor do que nunca durante o jogo e depois de haver terminado.

Minha maior emoção veio no dia seguinte quando li no jornal de New Haven: "Este novo jogador, Bettger, é uma pilha de entusiasmo. Foi uma inspiração para os nossos rapazes. Eles não só ganharam o jogo, como estiveram melhor do que em qualquer outro momento desta temporada."

Os jornais começaram a chamar-me "Pep" (pimenta) Bettger — a vida do time. Mandei os recortes pelo correio a Bert Conn, diretor do Johnstown. Pode-se imaginar a cara dele quando leu a história de "Pep" Bettger, o palerma a quem havia chutado três semanas atrás, por ser *preguiçoso!*

Dentro de dez dias, o *entusiasmo* me fez subir de 25 dólares por mês a 185 dólares — elevou meu salário de 700 por cento. Repito — minha resolução de agir com entusiasmo aumentou sozinho meu salário de 700 por cento em dez dias! Tive esse magnífico aumento não porque soubesse atirar melhor uma bola — ou correr ou chutar mais, não porque tivesse maior habilidade como jogador. Não sabia mais futebol do que antes.

Dois anos depois — dois anos depois daquele dia em que tinha apenas a esperança de ganhar 25 dólares por mês naquele pequeno clube de Chester, eu estava jogando como centromédio do St. Louis Cardinals e havia multiplicado meu salário por trinta. O que foi que me fez

11

consegui-lo? O entusiasmo, unicamente; nada mais do que o entusiasmo.

Dois dias depois disso, quando jogava em Chicago contra o Chicago Cubs, tive um acidente sério. Tentando apanhar a bola no ar e chutá-la, em bicicleta, para o campo oposto, senti um estalo no joelho. Esse acidente obrigou-me a desistir do futebol. Isto naquele tempo me pareceu uma verdadeira tragédia. Hoje, porém, acho que foi um dos acontecimentos mais favoráveis de minha vida.

Voltei para casa, e, durante dois anos seguintes, ganhei a vida rodando de bicicleta pelas ruas de Filadélfia, como cobrador de uma casa que vendia móveis a prestações; um dólar de entrada e o saldo em "incômodos" pagamentos semanais. Após dois anos de miséria na cobrança das prestações, decidi tentar vender seguros para a Fidelity Mutual Life Insurance Company.

Os dez meses seguintes foram os mais longos e mais desanimadores de minha vida.

Lamentável fracasso na venda de seguros, concluí finalmente que *não estava talhado para ser vendedor*, e comecei a responder a anúncios de empregos de escritório. Compreendi, porém, que, qualquer que fosse o gênero de serviço, eu tinha de vencer um estranho complexo de medo que me dominava, e então resolvi entrar em um dos cursos de oratória de Dale Carnegie. Uma noite, Carnegie interrompeu-me no meio de uma palestra.

"Sr. Bettger", disse: "Um momento... só um momento. O sr. está interessado no que está dizendo?"

"Sim... claro que estou," respondi.

"Bem, então," disse Carnegie, "por que não fala com um pouco de entusiasmo? Como espera despertar o interesse de seu auditório se não põe um pouco de vida e animação no que diz?"

Dale Carnegie então deu à nossa classe uma aula formidável sobre o poder do entusiasmo. Ficou tão excitado durante seu discurso que atirou uma cadeira na parede, quebrando uma das pernas dela.

Antes de me deitar naquela noite, passei uma hora sentado, pensando. Meu pensamento volveu para os meus dias de jogador de futebol em Johnstown e New Haven. Pela primeira vez, compreendi que o mesmo erro que ameaçara arruinar minha carreira no futebol estava agora ameaçando arruinar-me a carreira de vendedor.

A decisão que tomei nessa noite mudou o rumo de minha vida. Essa decisão foi a de permanecer no negócio de seguros e nisso pôr o mesmo entusiasmo que eu havia posto no jogo quando entrei para o time de New Haven.

Nunca me esquecerei da primeira visita que fiz no dia seguinte. Era minha primeira investida com o sistema "vai ou racha". Eu tinha tomado a resolução de ser para o meu cliente o vendedor mais entusiástico que ele já tivesse visto em sua vida. Enquanto eu baixava o punho sobre a mesa na minha excitação, esperava a cada instante que ele me interrompesse para perguntar se eu estava sentindo alguma coisa, mas isso não aconteceu.

A certa altura de minha exposição, reparei em que ele se endireitou na cadeira e abriu mais os olhos, mas não me interrompeu a não ser para fazer perguntas. Acabou me pondo para fora? Não, comprou! Esse homem, Al Emmons, negociante de cereais do Edifício da Bolsa, Filadélfia, logo se tornou um de meus melhores amigos e propagandistas.

Desse dia em diante, comecei a vender. A Mágica do Entusiasmo começou a agir no meu negócio, tal como tinha agido no futebol.

Eu não desejaria dar a alguém a impressão de que penso que o entusiasmo consiste em dar murros na mesa... mas, se é isso de que você precisa para se animar, então sou inteiramente a favor. Eu sei o seguinte: Quando me obrigo *a agir* com entusiasmo, logo passo *a sentir* entusiasmo.

13

Durante meus trinta e dois anos de vendedor, vi o entusiasmo dobrar e triplicar a renda de dezenas de vendedores, e vi a falta de entusiasmo fazer centenas deles malograrem.

Acredito firmemente que o entusiasmo é o maior fator isolado do sucesso nas vendas. Por exemplo, conheço um homem que é uma autoridade no terreno dos seguros — ele poderia até escrever um livro sobre o assunto — e no entanto não é capaz de ganhar a vida razoavelmente vendendo seguros. Por quê? Em grande parte por causa de sua falta de entusiasmo.

Conheço outro vendedor que não possuía sequer um décimo dos conhecimentos sobre seguros que possuía o primeiro, entretanto fez fortuna vendendo seguros, e aposentou-se no fim de vinte anos. Seu nome é Stanley Gettis. Vive agora na praia de Miami, Flórida. A razão de seu sucesso extraordinário não foi o conhecimento — foi o entusiasmo.

Pode-se adquirir o entusiasmo — ou é preciso nascer com ele? Certamente que se pode adquirir! Stanley Gettis adquiriu-o. Tornou-se um dínamo humano. Como? Somente obrigando-se diariamente a *agir* com entusiasmo. Como parte de seu plano, Stanley Gettis repetia um poema quase todas as manhãs durante vinte anos. Dizia que repeti-lo ajudava-o a gerar entusiasmo para o dia. Eu achei esse poema tão inspirador que o fiz imprimir num cartão e distribuí centenas deles. Foi escrito por Herbert Kauffman e tem um título sugestivo...

Vitória

Você é o tal que se costuma gabar
De que seria um sucesso sem par,
Algum dia.

Fazer fita era tudo o que você queria,
Mostrar-se um poço de sabedoria
E provar que podia ir longe...
Mais um ano se passou.
E que foi que realizou?
A grande coisa, onde está?
O Tempo... deu-lhe mais doze meses.
E nesse tempo, quantas vezes
Ousou tentar de novo
O que falhou até agora?
Voce não está no Livro de Ouro.
Qual é a explicação?
Ah não, não foi sorte que faltou!
Como sempre — você falhou na ação!

Procure decorar este poema e repeti-lo todos os dias. Poderá fazer por você o que fez por Stanley Gettis. Li certa vez uma declaração de Walter P. Chrysler. Fiquei tão impressionado que a carreguei no bolso durante uma semana. Creio que a li umas quarenta vezes, até sabê-la de memória. Gostaria que todos os vendedores a decorassem. Walter Chrysler, quando solicitado a revelar o segredo do sucesso, arrolou as diversas qualidades, tais como habilidade, capacidade, energia, mas acrescentou que o verdadeiro segredo era o entusiasmo. "Sim, mais do que entusiasmo," disse Chrysler, "eu diria até excitação. Gosto de ver homens se excitarem. Quando ficam excitados, também os clientes se excitam e então temos negócios".

Entusiasmo é indiscutivelmente a qualidade mais bem paga do mundo, sem dúvida por ser uma das mais raras; entretanto, é uma das mais contagiantes. Se você estiver cheio de entusiasmo, os que o ouvem muito provavelmente se entusiasmarão também, não importa que você não saiba expressar muito bem suas idéias. Sem entusiasmo, sua conversa com o cliente será tão morta como o peru do Natal passado.

Entusiasmo não é apenas uma expressão exterior. Uma vez que você comece a adquiri-lo, o entusiasmo atuará constantemente dentro de você. Você poderá estar sossegado em sua casa... uma idéia lhe ocorre... a idéia começa a desenvolver-se... finalmente, o entusiasmo toma conta de você... nada poderá detê-lo.

Ajudá-lo-á a vencer o medo, a alcançar melhor sucesso nos negócios, ganhar mais dinheiro, beneficiar-se de uma vida mais sadia, mais rica e mais feliz.

Quando poderá começar? Agora mesmo. Apenas diga a si mesmo. "Isto é uma coisa que eu posso fazer."

Como começar? A regra é uma só:

Para ficar entusiasmado — aja com entusiasmo.

Ponha esta regra em ação por trinta dias e prepare-se para ver resultados surpreendentes. Pode bem ser que revolucione toda a sua vida.

Ponha-se em pé todas as manhãs, e repita com gestos enérgicos e com todo o entusiasmo de que for capaz as seguintes palavras:

Obrigue-se a agir com entusiasmo, e você ficará entusiasmado!

Insisto em que releiam muitas vezes este capítulo de Frank Bettger, e tomem a resolução firme de dobrar a quantidade de entusiasmo que tiverem posto até agora em seu trabalho e em sua vida. Se vocês puserem religiosamente em prática esta resolução, provavelmente dobrarão sua renda e sua felicidade.

DALE CARNEGIE

2. ESTA IDÉIA ME FEZ VOLTAR A SER VENDEDOR DEPOIS DE TER DESISTIDO

RELEMBRANDO os anos passados, verifico com surpresa como coisas insignificantes mudaram todo o curso de minha vida. Como já disse, depois de passar dez meses miseravelmente tentando vender seguros de vida, desanimei por completo e perdi toda esperança de ser um vendedor mesmo medíocre. Desisti do emprego e passei vários dias respondendo a anúncios. Queria um emprego num armazém de despachos, porque como menino havia trabalhado para a American Radiator Company, metendo pregos em caixotes e endereçando-os para embarque. Com minha instrução limitada, pensei que pudesse candidatar-me para essa espécie de serviço. Mas por mais que me esforçasse, não consegui arranjar nem mesmo um emprego desses.

Eu não estava apenas desanimado; estava desesperado, cheio de angústia. Cheguei à conclusão de que só me restava voltar a rodar de bicicleta pelas ruas a cobrar as prestações de George Kelly. Minha última esperança era conseguir de novo meu velho emprego de 18 dólares por semana.

Havia deixado uma velha caneta-tinteiro, um canivete — e mais umas poucas coisas de uso pessoal no escritório da companhia de seguros. Assim, fui uma manhã

17

buscá-las. Esperava demorar-me apenas alguns minutos, mas, enquanto estava tirando as coisas das gavetas, o presidente da companhia, Sr. Walter LeMar Talbot, e todos os vendedores entraram na "jaula" para uma reunião. Não pude retirar-me com jeito e então fiquei sentado ouvindo o que tinham a dizer os vendedores. Mais eles falavam, mais desanimado eu ia ficando. Estavam falando sobre coisas que eu sabia jamais seria capaz de fazer. Depois, ouvi o presidente, Sr. Talbot, pronunciar uma sentença que tem exercido um efeito profundo e duradouro em minha vida nos últimos trinta e um anos. *Essa sentença foi a seguinte*:

> Senhores, afinal, todo este negócio de vendas resume-se numa coisa só — uma única coisa... visitar as pessoas! Apresentem-me qualquer homem de habilidade normal que seja capaz de ir com seriedade contar sua história a quatro ou cinco pessoas por dia, e eu lhes direi que aí está um homem que não pode falhar!

Pois bem, estas palavras me tiraram da cadeira. Eu acreditaria em qualquer coisa que o Sr. Talbot dissesse. Este era um homem que tinha começado a trabalhar para a companhia quando tinha onze anos de idade; passou por todas as seções; andou mesmo na rua vendendo durante vários anos. Ele devia saber o que estava dizendo. Foi como se o sol tivesse rompido as nuvens. Resolvi, naquele momento, tomá-lo pela palavra.

Eu disse a mim mesmo: "Olhe aqui, Frank Bettger, você tem um bom par de pernas. Você pode sair e honestamente contar sua história a quatro ou cinco pessoas cada dia; assim você fará seus negócios — o Sr. Talbot o disse!"

Como eu estava contente. Senti um alívio enorme — porque tinha certeza de que seria bem sucedido!

Isto foi dez semanas antes do fim do ano. Resolvi durante esse tempo tomar nota do número de visitas que fazia, só para estar certo de procurar pelo menos quatro pessoas cada dia. Por meio destas notas, descobri que eu podia fazer muito mais visitas. Mas descobri também que a média de quatro por dia, semana após semana, já era um grande negócio. Pude verificar então que antes eu fazia bem menos.

Durante essas dez semanas, vendi 51.000 dólares de seguros de vida — mais do que tinha sido capaz de vender nos dez meses anteriores! Não era muito, mas provou-me que o Sr. Talbot sabia o que estava dizendo. Eu era capaz de vender!

Então descobri que meu tempo tinha algum valor, e resolvi no futuro desperdiçá-lo o menos possível. Não julguei necessário, porém, continuar a tomar notas.

Daí em diante, por qualquer razão, minhas vendas começaram a diminuir. Poucos meses depois, achava-me de novo na situação desanimadora de antes. Um sábado de tarde, voltei para o escritório, fechei-me numa pequena sala de conferências e fiquei lá sentado. Durante três horas conversei comigo mesmo: "Que é que há comigo? O *que será* que está errado?"

Só havia uma conclusão. Só podia ser uma coisa, e eu tinha de reconhecê-la. Eu não estava procurando os clientes.

"Como poderei *obrigar-me* a visitá-los? pensei. "Incentivo tenho bastante. Preciso do dinheiro. Eu *não sou* preguiçoso."

Finalmente, resolvi voltar a tomar minhas notas.

Um ano depois, achava-me eu orgulhoso diante de nossa agência a contar entusiasticamente minha história. Eu havia *secretamente mantido um registro completo de minhas visitas durante doze meses*. Os dados eram precisos, pois eu tinha anotado as cifras dia por dia. Havia feito 1.849 visitas. Dessas visitas resultaram 828 entrevistas, com 65 negócios fechados, e minhas comissões montaram a 4.251,82 dólares.

Quanto rendeu cada visita? Calculei que cada uma me deu um lucro líquido de 2,30 dólares: Vejam bem! Um ano antes, eu estava tão desanimado que pedi demissão. Agora, cada visita, *quer eu conseguisse entrevistar o cliente ou não, significava* 2,30 *dólares no meu bolso.* Nunca encontrarei palavras para expressar a coragem e a confiança que me deram esses registros.

Mais adiante, mostrarei como as anotações me ajudaram a organizar-me de tal maneira que o valor de minhas *visitas* subiu de 2,30 a 19 dólares cada uma; como com o correr dos anos eu consegui passar de 1 negócio em 29 entrevistas para 1 em 25, depois 1 em 20, 1 em 10 e, finalmente, 1 em cada 3. Darei apenas um exemplo a seguir:

Os registros mostraram que 70% de minhas vendas eram feitas na primeira entrevista, 23% na segunda, e 7% na terceira ou ainda depois. Mas ouçam isto: 50% de meu tempo eram gastos em andar atrás dos 7%. "Então, para que incomodar-me com os 7%," pensei. Só esta decisão aumentou o valor de minhas visitas de 2,80 dólares para 4,27.

Sem tomar notas, não temos meio de saber o que estamos fazendo errado. Eu encontro sempre muito mais inspiração nos meus assentamentos do que em qualquer artigo que possa ler numa revista. Clay W. Hamlin, um dos maiores vendedores do mundo, muitas vezes me inspirou, como a milhares de outros. Clay contou-me que havia fracassado três vezes como vendedor antes de começar a manter registros.

"Não se pode vencê-los sem atirar-se a eles" é um ditado que achei se aplica tão bem às vendas como ao futebol. Quando jogava com os Cardinals, tínhamos um centro-médio chamado Steve Evans. Steve era um rapaz grandalhão, do porte de Babe Ruth,* e podia chutar uma bola

---

(*) Famoso jogador de baseball norte-americano (N. do Trad.).

quase com a mesma força de Babe. Mas Steve tinha um mau hábito. Era o hábito de esperar. Geralmente lhe passavam a bola duas vezes antes que começasse a chutar. Lembro-me de um jogo importante em St. Louis — Steve estava com a bola, em posição tão favorável que qualquer chute mais ou menos certo poderia ter feito um gol. Toda a assistência de pé gritava: "Vamos, Steve, o gol da vitória!" Mas Steve remanchava e hesitava até que Roger Bresnaham, nosso técnico gritou: "Evans: Que diabo está esperando?"

"O dia do pagamento!" gritou Steve de volta, aborrecido.

Sempre que vejo vendedores sentados no escritório durante as horas de serviço, jogando paciência com prospectos, parece-me ver de novo Steve Evans a deixar passar as bolas boas — e ouço Bresnaham gritar-lhe: "Evans, que diabo está esperando?"

Vender é o negócio mais fácil do mundo se você der duro — mas é o negócio *mais duro* do mundo se você tentar fazer corpo mole.

Como sabemos, um bom médico não trata sintomas, e sim a *causa*. Vamos então bem ao fundo deste teorema de vendas:

> Não se pode cobrar a comissão enquanto não se faz a venda;
> Não se pode fazer a venda enquanto não se escreve o pedido;
> Não se pode escrever o pedido enquanto não se obtém uma entrevista;
> Não se pode obter uma entrevista enquanto não se faz uma *visita!*

Aí está toda a ciência — toda a base desse negócio de vender — *Visitas!*

21

3. UMA COISA QUE FIZ E QUE ME AJUDOU A VENCER O MAIOR INIMIGO QUE JAMAIS TIVE DE ENFRENTAR

O QUE eu ganhava naquele primeiro ano era tão pouco, que tive de arranjar um bico como treinador do time de futebol de Swarthmore College.
Um dia, recebi um convite da A. C. M. de Chester, Pa., para ir lá fazer uma palestra sobre os três preceitos de "limpeza": "Vida Limpa; Caráter Limpo; e Esporte Limpo." Quando li essa carta, achei que era impossível aceitar o convite. Na verdade, tinha a certeza de que não conseguiria reunir coragem para falar de maneira convincente nem a um único homem quanto mais a uma centena.
Foi então que comecei a compreender que, antes de poder esperar qualquer coisa de concreto, eu teria de vencer a minha timidez, esse medo de falar a estranhos.
No dia seguinte, fui até a A. C. M. de Filadélfia e contei ao diretor educacional por que eu acreditava ser um fracasso. Perguntei se tinham algum curso que me poderia ajudar. Ele sorriu e disse: "Temos exatamente o que lhe convém. Venha comigo."
Acompanhei-o através de um longo corredor. Entramos numa sala em que havia um grupo de homens sentados. Um dos homens tinha justamente acabado de falar e outro estava de pé criticando o orador: Sentamo-nos no fundo

da sala. O diretor murmurou para mim: "Este é um curso de oratória."

Nunca eu tinha ouvido falar em "cursos de oratória". Em seguida, outro homem se levantou e começou a falar. Era péssimo. De fato, era tão ruim que até me senti mais encorajado. Disse a mim mesmo: "Medroso e desajeitado como sou, eu não poderia ter feito muito pior do que aquilo."

Logo o homem que tinha estado criticando o último orador voltou. Fui apresentado a ele. Seu nome era *Dale Carnegie*.

Eu disse: "Quero entrar no curso." Ele respondeu: "Nosso curso já está em meio. Talvez seja melhor esperar. Começaremos com nova turma em janeiro."

"Não", disse eu: "Quero entrar agora mesmo".

"Muito bem", sorriu o Sr. Carnegie e, tomando meu braço, disse: "Você é o orador seguinte".

É claro que fiquei *aterrorizado* — estava mesmo tremendo de medo — mas de algum jeito, nem sei como, consegui contar àqueles homens por que eu estava ali. Foi horrível, mas assim mesmo foi uma grande vitória para mim. Antes disso, eu não era nem mesmo capaz de ficar diante de um grupo de pessoas e dizer: "Muito prazer em conhecê-los."

Isto aconteceu há exatamente trinta anos, no mês em que estou escrevendo estas linhas, mas aquela noite sempre se destacará na minha memória como o começo daquilo que veio a ser uma das fases mais importantes de minha vida.

Inscrevi-me no curso naquela hora mesmo e passei a freqüentar regularmente as aulas semanais.

Dois meses mais tarde fui a Chester e fiz aquela palestra. Já tinha aprendido que era relativamente fácil falar sobre minhas experiências próprias no futebol, sobre a convivência com meu companheiro de quarto Miller Huggins, e como entrei para os grandes times com a propaganda de Christy Mathewson. Fiquei surpreendido com o fato de poder falar durante quase meia hora e mais surpreendido ainda, quando uns vinte ou trinta homens vieram depois apertar-me a mão e dizer o quanto tinham apreciado a palestra.

Este foi um dos maiores triunfos de minha vida. Deu-me mais confiança do que qualquer outra coisa até então. Parecia até um milagre, e *era* de fato um milagre. Dois meses antes, eu tinha medo de falar com qualquer pessoa oficialmente — agora, ali, estava eu diante de 100 pessoas, prendendo-lhes a atenção e gostando da experiência. Saí da sala um homem transformado.

Eu me havia tornado mais conhecido naquele grupo com aquela palestra de vinte e cinco minutos do que se tivesse freqüentado o meio durante quatro meses como um membro silencioso.

Para surpresa minha, J. Borton Weeks, importante advogado da comarca de Delaware, que havia atuado como presidente da reunião, acompanhou-me até a estação. Quando ia tomar o trem, apertou minha mão, agradeceu-me calorosamente e convidou-me para voltar logo que pudesse. "Um de meus colegas advogados e eu estávamos pensando em fazer um seguro de vida", disse quando o trem começou a andar.

"Pude" voltar a Chester com uma rapidez surpreendente.

Alguns anos depois disso, J. Borton Weeks tornou-se presidente do Automóvel Club de Keystone, o segundo em importância no mundo. Tornou-se também um de meus melhores amigos e, além disso, um dos melhores centros de influência para os meus negócios.

Por mais vantajosa que fosse para mim essa relação, nada foi em comparação com a confiança e coragem que adquiri pelo treinamento recebido naquele curso de oratória. Aquilo ampliou-me a visão, e estimulou meu entusiasmo; ajudou-me a expor minhas idéias de maneira mais convincente a outros homens; e ajudou-me a destruir o maior inimigo que eu tinha — *o medo*.

Eu insistira em que qualquer homem ou mulher que se veja peado pelo medo, e que sinta falta de coragem e confiança em si mesmo, deveria entrar no melhor curso de oratória que existir em sua localidade. Não entrem em *qualquer* curso, mas escolham um em que tenham oportunidade de falar em todas as reuniões, porque é isso que se quer — experiência de falar em público.

Se não puderem encontrar um curso bom, prático, façam como fez Benjamin Franklin. Ben reconheceu o grande valor desses cursos práticos, e formou a "Joint" (Junta) nesta minha cidade natal. Reunam-se todas as semanas ou todo mês. Se não puderem achar um bom instrutor, critiquem-se uns aos outros, como fazia a Joint há 200 anos.

Notei que os membros de nossa classe que tiraram o maior proveito do curso e mostraram mais progresso foram aqueles que fizeram uso prático do treinamento. Por isso, mesmo deficiente como eu era. procurava sempre oportunidades de falar em público. Quase morri de nervosismo na primeira vez, mas de algum modo consegui fazê-lo.

Ensinei mesmo numa escola dominical a uma classe de oito rapazes. Mais tarde, aceitei a superintendência da Escola. Fui superintendente durante nove anos. O efeito dessa prática e experiência influiu na minha conversação particular com as pessoas. Esta foi uma das melhores experiências que tive em minha vida.

Todos os líderes e homens de sucesso que já encontrei tinham coragem e confiança em si mesmos e, a maioria deles, conforme noto, são capazes de expor suas idéias de maneira convincente.

A melhor maneira que encontrei de vencer o medo e desenvolver a coragem e a confiança rapidamente é falar diante de grupos. Descobri que, quando perdi o medo de falar em público, perdi também o medo de falar a indivíduos, mesmo que fossem grandes e importantes. Essa experiência de falar em público fez com que eu conseguisse sair de minha concha, abriu-me os olhos para as próprias possibilidades, e alargou os meus horizontes. Foi um dos pontos de ascensão em minha vida.

4. A ÚNICA MANEIRA QUE ACHEI PARA ME TORNAR ORGANIZADO

ALGUM tempo depois de ter começado a fazer meus registros, descobri que eu era muito desorganizado. Eu havia fixado a meta de 2.000 visitas para o ano, à razão de quarenta por semana. Mas logo fiquei tão lamentavelmente atrasado que tinha até vergonha de fazer as anotações. Minhas intenções eram boas. Tomava constantemente novas resoluções, mas nunca conseguia mantê-las por muito tempo. Eu simplesmente *não era capaz* de me organizar.

Finalmente cheguei à conclusão de que precisava dedicar mais tempo ao planejamento. Era fácil juntar trinta ou quarenta prospectos e achar que eu estava preparado. *Isso* não tomava muito tempo. Mas rever as notas, estudar cuidadosamente cada visita, pensar o que exatamente dizer a cada pessoa, preparar propostas, escrever cartas, e depois organizar um esquema, dispor as visitas de cada dia, de segunda até sexta-feira, numa ordem adequada, requeria de quatro a cinco horas cheias do mais intensivo trabalho.

Reservei então a manhã de sábado para essa tarefa, chamando esse dia de "dia de organização". Deu resultado esse plano? Ouçam! Cada segunda-feira, ao sair de manhã, em lugar de ter de me empurrar para as visitas, eu entrava para ver as pessoas cheio de ânimo e confiança. Sentia-me desejoso e até *ansioso* por falar-lhes, porque havia pesando tudo previamente, estudado sua situação, e tinha algumas idéias que eu achava poderiam ser úteis aos meus entrevistados. No fim da semana, em vez de me sentir exausto e desanimado, eu me sentia, ao contrário, alegre e entusiasmado com a perspectiva de que na semana seguinte poderia fazer ainda mais e melhor.

Poucos anos depois, já pude mudar meu "dia de organização" para sexta-feira de manhã, esquecendo inteiramente os negócios até a manhã de segunda-feira. É surpreendente quanto consigo realizar quando tomo tempo suficiente para planejar, e é extraordinário como faço pouco quando não tenho esse cuidado. Prefiro trabalhar de acordo com um plano rígido quatro dias e meio por semana e realizar alguma coisa a trabalhar o tempo todo sem conseguir coisa alguma.

Li que Henry L. Doherty, o grande industrial, disse: "Posso contratar gente para fazer tudo menos duas coisas, *pensar, e fazer as coisas na ordem de sua importância*".

Esse era precisamente o meu problema. Entretanto, depois de passar anos a resolvê-lo semanalmente, cheguei à conclusão de que a resposta é simplesmente esta: Tome tempo bastante para pensar e planejar.

No fim deste capítulo, encontrarão um típico "horário semanal". Não o organizei apenas como exemplo. Tirei alguns de meu arquivo e usei um deles para ilustração. Verão também a mostra de um mês de "fichas de registro", que poderão igualmente ser úteis a quem queira planejar a distribuição de seu tempo.

Alguns dirão com certeza: "Isto não serve para mim! Eu não posso com essa coisa de viver por um esquema. Não me sentiria feliz". Para esses tenho uma boa coisa a dizer. *Já estão vivendo por um esquema*. E, se não é um esquema planejado, provavelmente é um mau esquema.

Darei um exemplo: há alguns anos, um rapaz veio me procurar para pedir conselho. Havia-se diplomado com honras numa das mais antigas e melhores escolas do país, e tinha entrado para a profissão de vendas com grandes promessas. Agora, dois anos depois, estava terrivelmente desanimado. Dizia-me então, "Sr. Bettger, diga-me francamente, acha que estou talhado para ser vendedor?"

"Não, Ed", respondi, "eu não acho que você esteja talhado para vendedor".

Ficou desapontadíssimo, mas eu continuei. "Acho que *ninguém* está talhado para ser vendedor — ou qualquer outra coisa. O *que eu penso é que nós temos de nos talhar para sermos aquilo que quisermos ser*".

"Não entendo", disse Ed. "Estou sempre ocupado, trabalhando. Pois se nem sequer tenho tempo para comprar uma gravata! Se eu pudesse só encontrar um jeito de me organizar!"

Eu sabia, por acaso, que aquele jovem não era precisamente madrugador, mas bem o contrário. Disse então: "Ed, por que não entra no "Clube das Seis Horas?"

"Clube das Seis Horas?" perguntou. "O que é isso?"

"Faz alguns anos", expliquei, "li que Benjamin Franklin dizia que poucos homens vivem vida longa, e menos ainda alcançam sucesso que não sejam madrugadores. Pus então meu despertador uma hora e meia mais cedo de manhã. Uma hora desse tempo usava para ler e estudar. Naturalmente, logo passei a ir para a cama mais cedo, mas economizei com isso".

Nesse dia mesmo Ed concordou em comprar um despertador e entrou para o "Clube das Seis Horas". Reservou o sábado de manhã como "dia de organização". Logo seus problemas deixaram de existir e Ed estava vendendo com sucesso. Apenas quatro anos depois, já era nomeado gerente de uma região importante por uma grande firma industrial.

Não faz muito tempo, entrevistei um dos diretores da International Business Machines Corporation, companhia que mantém um dos padrões mais altos do mundo quanto a métodos de treinamento para vendas. Perguntei-lhe qual a importância que atribuíam à sua "Folha Semanal de Trabalho."

Respondeu-me o seguinte: "Sr. Bettger, fornecemos aos nossos vendedores certos instrumentos que sabemos são essenciais para que tenham êxito. Nosso instrumento número um é a "Folha Semanal de Trabalho", que deve ser completada pelos vendedores, dando os nomes de todas as pessoas que pretendem visitar na semana seguinte, e uma cópia da mesma nos é entregue *antecipadamente* a cada semana de trabalho".

"Essa norma é imposta em todos os setenta e nove países em que operam?" perguntei.

"Rigorosamente", replicou ele.

"O que aconteceria se um vendedor se recusasse a usar esse instrumento número um?" perguntei.

"Isso não poderia acontecer. Mas, se acontecesse, esse vendedor não continuaria a trabalhar para nós".

Estas foram as suas palavras, textualmente.

Quase todos os homens bem sucedidos que conheci são de um rigor absoluto em matéria de tempo. Por exemplo, Lawrence Doolin, um dos diretores da Fidelity Mutual Life Insurance Company de Filadélfia, contou-me outro dia uma experiência que havia tido recentemente. Uma noite, telefonou a Richard W. Campbell, gerente da companhia em Altoona, Pennsylvania, dizendo-lhe o seguinte: "Ouça, Dick, partirei para o oeste na próxima semana, para visitar diversas de nossas agências. Segunda-feira estarei em Harrisburg. Terça-feira chegarei a Altoona e gostaria de passar o dia com você".

Dick respondeu, "Larry, estou ansioso por vê-lo, mas antes de sexta-feira à tarde vai ser impossível para mim".

Na sexta-feira seguinte, quando estavam os dois almoçando juntos, Larry indagou: "Você esteve fora a semana toda, Dick?"

"Não", replicou Dick. "Estive por aqui mesmo a semana toda".

Surpreendido, Larry disse: "Quer dizer que você estava aqui em Altoona na terça-feira?"

"Sim", sorriu Dick.

Bastante ressentido, Larry disse: "Dick, você sabe o que me fez fazer? Você me fez voltar atrás todo o caminho desde Cincinnati! Hoje à noite preciso retornar de novo, e de lá ir a Detroit".

Dick Campbell explicou então: "Olhe, Larry, antes de você me telefonar, eu tinha passado cinco horas, na manhã de sexta-feira anterior, planejando toda esta semana. Terça-feira era um dos dias mais cheios. Havia diversas entrevistas importantes já marcadas. Se eu tivesse passado a terça-feira com você, teria interrompido o programa da semana inteira. Por favor, não fique ofendido, Larry. Se tivesse sido E. A. Roberts, o presidente da companhia, eu teria feito a mesma coisa. Todo o êxito que tenho tido neste negócio tem sido devido ao fato de eu não permitir que qualquer coisa ou qualquer pessoa interfira com o programa da semana a cuja preparação dedico cada sexta-feira.

Larry Doolin disse-me: "Frank, quando ouvi isso, fiquei primeiro chocado. Mas procurei não ficar zangado. Compreendi depressa que aquilo era o *verdadeiro segredo* do êxito fenomenal de Dick Campbell".

Larry contou-me que, quando tomou o trem naquela noite, sentiu-se possuído de um novo entusiasmo. Desde então tem contado essa história a vendedores dos quatro cantos do país.

Lá por volta de 1926 passei quase todo um verão no rancho de Eaton's Dude, localizado nas colinas ao sopé das montanhas Big Horn, perto de Sheridan, Wyoming. Mary

Robert Rinehart, autora de mais de cinqüenta romances e uma das escritoras mais bem pagas dos Estados Unidos, costumava lá passar o verão. Perguntei a Sra. Rinehart como foi que se tornou escritora. Eis as suas palavras:

    Sempre pensei que eu poderia aprender a escrever, se tivesse tempo, mas eu tinha marido e três filhos pequenos para cuidar... e também minha mãe, que durante anos foi inválida. Depois, numa época de crise financeira, perdemos tudo que possuíamos. Fecamos endividados e isso me pôs em verdadeiro pânico. Resolvi então que havia de ganhar algum dinheiro escrevendo, e estabeleci logo um esquema, planejando cada hora da semana imediata. Certos períodos durante o dia e à noite, depois de deitar as crianças e enquanto o Dr. Rinehart ia ver seus doentes, reservei para escrever.

    Perguntei a Sra. Rinehart se o trabalhar num horário tão apertado não a deixara exausta. "Pelo contrário", respondeu a sorrir, "minha vida tomou um novo impulso".
    Mary Roberts Rinehart não sabia o quanto me havia inspirado. Depois de voltar para casa, passei a dirigir melhor do que nunca Frank Bettger e o seu tempo.
    Há anos encontrei um poema de Douglas Malloch. Recortei-o e o guardei em meu álbum de recortes. Li e reli esse poema até sabê-lo de cor. Deu-me alguma coisa, e talvez possa dar alguma coisa a vocês. Ei-lo:[*]

> Talvez para ti esteja tudo certo,
> O modo por que vives, e o que fazes,
> Mas, quanto a mim, vejo bem claro,
> Que algo há de muito errado.

(*) Reproduzido com autorização da Sra. Douglas Malloch.

Não é que eu seja indolente,
Ou me esquive dos deveres;
Trabalho tanto quanto os outros,
Mas o que resulta... é tão pouco;
A manhã vai longe, já é meio-dia,
E, não tarda, a noite virá;
À minha volta, que sentimento,
Tanta coisa por terminar.
Se eu pudesse o tempo governar!
Quantas vezes, tão bem o compreendi,
Nem tudo é o *homem;*
Mas o homem precisa ter um plano.

* * *

Quanto a ti, tudo pode estar certo,
Mas veja só o meu problema;
Faço sempre o que não importa muito,
Ou pouco importa,
Parecendo, embora, importante,
E muita coisa deixo de fazer.
Começo aqui, começo ali,
Mas nada posso terminar.
Trabalho tanto como os outros,
E pouco ou nada realizo,
Mas tanta coisa eu faria
Se pudesse o tempo governar!

RESUMO

PRIMEIRA PARTE

LEMBRETES DE BOLSO

1. Obrigue-se a agir com entusiasmo, e você *ficará* entusiasmado. "Tome a resolução firme e solene de dobrar o entusiasmo que até agora tem dedicado ao seu trabalho e à sua vida. Se levar a termo essa resolução, você provavelmente dobrará a sua renda, e dobrará a sua felicidade".
   Como começar? A regra é uma só: "Para se tornar entusiasmado, *agir* com entusiasmo!

2. Lembre-se daquela frase pronunciada por Walter LeMar Talbot. "Afinal, esse negócio de vender resume-se numa única coisa, apenas uma coisa, procurar as pessoas. Mostrem-me qualquer homem de habilidade normal que seja capaz de ir com seriedade contar sua história a quatro ou cinco pessoas por dia, e eu lhes direi que aí está um homem *que não pode falhar!*

3. Se você quer vencer o medo e ganhar rapidamente coragem e confiança em si mesmo,

entre num curso de oratória. Não apenas um curso teórico, mas um curso em que tenha oportunidade de falar em público todas as noites. .Quando você perder o medo de falar a um auditório, perderá o medo de falar às pessoas individualmente, por mais importantes que sejam.

4. O que dá mais satisfação na vida é realizar alguma coisa e saber que se realizou aquilo empregando toda a sua capacidade. Se você tiver dificuldade em organizar-se, se desejar aumentar sua capacidade de pensar, e fazer as coisas na ordem de sua importância, lembre-se de que há somente um modo de consegui-lo: *Tome mais tempo* para pensar e fazer as coisas na ordem de sua importância. Reserve um dia na semana como dia de organização, ou um determinado período por semana. Todo o segredo de ficar livre da preocupação de não ter tempo suficiente está, não em trabalhar mais horas, mas no *planejamento adequado das horas.*

Semana começando em 1.º de julho
REGISTRO DE VISITAS, ENTREVISTAS E RESULTADOS

	Visitas	Entrevistas	Quantia subscrita	Quantia paga	Prêmios	Comissões
Segunda						
Têrça	3	2	1 - 10.000			
Quarta	8	3				
Quinta	10	4	1 - 2.000			
Sexta	Feriado	Feriado				
Sábado	Feriado	Feriado				
Total da semana	21	9	2 - 12.000			
Transporte						
Total geral	21	9	2 - 12.000			

Semana começando em 7 de julho

REGISTRO DE VISITAS, ENTREVISTAS E RESULTADOS

	Visitas	Entrevistas	Quantia subscrita	Quantia paga	Prêmios	Comissões
Segunda	5	2	1 - 10.000	1 - 10.000	431,20	190,10
Têrça	10	5				
Quarta	11	4	1 - 1.000			
Quinta	9	4				
Sexta	8	5	1 - 16.000	1 - 2.000	59,90	30,05
Sábado	1	1				
Total da semana	44	21	3 - 27.000	2 - 12.000	489,10	220,15
Transporte	21	9	2 - 12.000			
Total geral	65	30	5 - 39.000	2 - 12.000	489,10	220,15

Semana começando em 14 de julho
REGISTRO DE VISITAS, ENTREVISTAS E RESULTADOS

	Visitas	Entrevistas	Quantia subscrita	Quantia paga	Prêmios	Comissões
Segunda	5	2		1 - 1.000	54,78	27,22
Têrça	9	4	1 - 10.000	1 - 5.000	165,16	90,00
Quarta	11	5	1 - 5.000		149,18	
Quinta	10	6	1 - 10.000	1 - 10.000		49,22
Sexta	8	4	1 - 10.000			
Sábado	1	1				
Total da semana	44	22	4 - 35.000	3 - 16.000	369,12	167,42
Transporte	65	30	5 - 39.000	2 - 12.000	489,10	220,15
Total geral	109	52	9 - 74.000	5 - 28.000	858,22	387,57

Semana começando em 21 de julho

REGISTRO DE VISITAS, ENTREVISTAS E RESULTADOS

	Visitas	Entrevistas	Quantia subscrita	Quantia paga	Prêmios	Comissões
Segunda	3	2	1 - 2.000	1 - 10.000	274,80	154,12
Têrça	8	4	1 - 2.000	1 - 5.000	188,20	90,10
Quarta	9	5	1 - 5.000			
Quinta	10	6	1 - 7.000 1 - 5.000	1 - 10.000	281,15	140,51
Sexta	7	5	1 - 5.000	1 - 7.000	92,66	31,22
Sábado	1	1				
Total da semana	38	23	6 - 26.000	4 - 32.000	767,81	413,25
Transporte	109	52	9 - 74.000	5 - 28.000	558,22	387,57
Total geral	147	75	15 - 100.000	9 - 60.000	1.626,03	800,82

Semana começando em 28 de julho

REGISTRO DE VISITAS, ENTREVISTAS E RESULTADOS

	Visitas	Entrevistas	Quantia subscrita	Quantia paga	Prêmios	Comissões
Segunda	6	2				
Têrça	11	7	1 - 5.000 1 - 5.000	1 - 5.000	127,50	64,00
Quarta	7	5	1 - 5.000 1 - 2.000	1 - 8.000 1 - 10.000	300,16 419,70	125,00 182,65
Quinta	5	2		1 - 2.000	88,36	20,80
Sexta						
Sábado						
Total da semana	29	16	4 - 17.000	4 - 25.000	923,72	417,57
Transporte	147	25	15 - 100.000	9 - 60.000	1.626,03	800,82
Total geral	196	91	19 - 117.000	13 - 85.000	2.559,75	1.217,39

HORÁRIO SEMANAL

	2.ª feira 14/6	3.ª feira 15/6	4.ª feira 16/6	5.ª feira 17/7	6.ª feira 18/8.
MANHÃ	Rosengarten Siano	Buehler Boryer Dick	Coale Felton McClennen	Madden Hazlett Weaver	Corte cab. 8 h. planejamento 8,45 até 13 h.
ALMÔÇO	Quigley	Trout	McBride	Kroll	
TARDE	Conelly Dutcher Dick	Lueders Ackley Rigley Levick	Silver Horst Karl	Fretz Paoli Stiefel Derry	
NOITE	Paul Fisher		Henze		

"HORÁRIO SEMANAL" TÍPICO POR MEIO DO QUAL CONSEGUÍ ORGANIZAR O MEU TEMPO

Segunda Parte

FÓRMULA PARA O SUCESSO NAS VENDAS

5. COMO APRENDI O SEGREDO MAIS IMPORTANTE DO VENDEDOR

NUMA QUENTE manhã de agosto entrei nos escritórios da John Scott and Company, grandes atacadistas de secos e molhados, em Filadélfia, e perguntei por Mr. John Scott. Um de seus filhos, Harry, disse: "Papai está muito ocupado hoje. Ele esperava o Senhor?"

"Não tenho entrevista marcada", respondi, "mas ele solicitou algumas informações à minha firma, e eu vim trazê-las".

"Bem", disse o rapaz, "o Senhor não escolheu um bom dia. Papai está com três pessoas no escritório agora, e —"...

Nesse momento John Scott saiu de seu escritório e atravessou a sala em direção ao armazém.

"Papai!" chamou o filho, "está aqui um senhor que lhe quer falar".

"Queria falar comigo, jovem?" disse o chefe, voltando-se para me olhar enquanto ia passando pela porta de vai-e-vem que dava para o armazém.

Acompanhei-o e tivemos então, de pé, a seguinte entrevista:

EU. Sr. Scott, meu nome é Bettger. O Sr. pediu-nos algumas informações, e vim para lh'as dar (entreguei-lhe o cartão que ele havia assinado e devolvido pelo correio à minha companhia).

SCOTT (olhando para o cartão.) Bem, meu rapaz, não estou precisando das informações, mas achei que seria bom aceitar a agenda que sua firma disse estar reservada para mim. Escreveram-me várias cartas dizendo que havia um livro com meu nome e então mandei o cartão para recebê-lo.

EU (entregando-lhe a agenda.) Mr. Scott, estes livrinhos não nos trazem negócios, mas servem de apresentação e nos dão oportunidade para contar a nossa história.

SCOTT. Muito bem, mas há três homens no meu escritório, e estarei ocupado bastante tempo. De mais a mais, seria uma perda de tempo discutirmos seguros. Estou com 63 anos e já parei de fazer seguros de vida. Quase todas as minhas apólices estão pagas. Meus filhos estão crescidos e sabem cuidar de si mesmos melhor do que eu. Só tenho minha esposa e uma filha comigo agora e, se algo me acontecesse, elas teriam mais dinheiro do que é bom para elas.

EU. Sr. Scott, um homem que teve tanto êxito na vida como o Senhor, seguramente tem alguns interesses afora a família e os negócios. Talvez um hospital, alguma obra religiosa, missionária ou de caridade que lhe mereça o apoio. O Sr. já pensou alguma vez que esse apoio cessará com a sua morte? Essa perda não seria um prejuízo sério, ou mesmo poderia significar a extinção de alguma obra que não deveria desaparecer?

(Ele não respondeu, mas pude ver pela expressão de seu rosto que eu havia atingido uma corda sensível. Esperou que eu continuasse.)

Pelo nosso plano, Sr. Scott, o Sr. pode garantir-lhes o seu apoio com absoluta segurança — em vida e depois. Se viver, daqui a sete anos começará a receber uma renda de 5.000 dólares por ano em cheques mensais durante o resto de sua vida. Se não precisar dessa renda, poderá doá-la, mas se por qualquer circunstância vier a precisar dela, será uma bênção!

SCOTT (*olhando o relógio*). Se quiser esperar um pouco, gostaria de lhe fazer algumas perguntas a esse respeito.

EU. Esperarei com todo o prazer.

(*Cerca de vinte minutos depois, fizeram-me entrar para a sala de Mr. Scott.*)

SCOTT. Qual é mesmo o seu nome?

EU. Bettger.

SCOTT. Sr. Bettger, o Sr. me falou em obras de caridade. Contribuo para três missões estrangeiras, e *realmente* gasto bastante dinheiro por ano em coisas que me são caras ao coração. O Sr. disse que seu plano lhes garantiria o meu apoio financeiro se eu morresse? E que daqui a sete anos eu começaria a receber uma renda de 5.000 dólares por ano — quanto me custaria isso?

(*Quando lhe disse o custo, pareceu espantado.*)

SCOTT. Não! De maneira alguma pensaria numa coisa dessas!

Comecei então a fazer-lhe perguntas sobre as tais missões estrangeiras. Ele parecia falar nisso com grande prazer. Perguntei-lhe se já havia visitado alguma dessas missões. Não, não havia, mas um de seus filhos e sua nora eram encarregados da missão em Nicarágua, e ele estava planejando uma viagem para visitá-los no outono. Contou-me a seguir diversas histórias sobre o serviço deles.

Ouvi-o com grande interesse. Mais tarde, perguntei: "Sr. Scott, quando for a Nicarágua, não se sentiria feliz se pudesse contar a seu filho e à sua pequena família que acabou de tomar as providências necessárias para que, no caso de lhe acontecer alguma coisa, eles continuem a receber um cheque mensal, a fim de que seu trabalho não sofra interrupção? E não gostaria de escrever às outras duas missões, dando-lhes a mesma notícia?"

Toda vez que ele dizia que era dinheiro demais para ele desembolsar, eu voltava a falar e fazer mais perguntas sobre o trabalho maravilhoso que estavam realizando seus missionários no estrangeiro. Finalmente, ele comprou. Naquele dia mesmo fez um depósito de 8.672 dólares a fim de pôr o plano em ação. Quando saí daquele escritório, eu não andava, mas flutuava no ar. Guardei o cheque no bolso de meu paletó, mas continuei a segurá-lo, com a mão no bolso. Estava com medo de largá-lo. Seria um pesadelo horrível se eu o perdesse antes de chegar ao escritório da firma. Eu tinha em meu poder um cheque de 8.672 dólares! Oito mil, seiscentos e setenta dólares! Apenas dois anos atrás, eu tinha por única esperança um emprego de datilógrafo numa companhia de despachos. Realmente, essa venda me deu uma das maiores sensações de minha vida. Quando cheguei ao escritório central de minha companhia, fiquei espantado quando me disseram que fora uma das vendas individuais de maior vulto feitas em toda a sua história.

Não pude comer aquela noite, e fiquei acordado quase até o amanhecer. Era o dia 3 de agosto de 1920. Nunca me esquecerei da data. Não havia homem mais entusiasmado em toda Filadélfia.

O fato de o negócio ter sido realizado por um novato como eu, que nem sequer havia terminado o ginásio, causou certa sensação. Poucas semanas depois, fui convidado a relatar a história na assembléia nacional dos vendedores em Boston.

Em seguida a essa minha palestra, um vendedor de renome nacional, Clayton M. Hunsicker, um homem que tinha quase o dobro de minha idade, veio cumprimentar-me, congratulando-se comigo pelo negócio que eu havia realizado. Contou-me depois uma coisa que, conforme logo tive ocasião de verificar, era o segredo mais importante nas relações com as pessoas.

Disse o seguinte: "Duvido que você saiba exatamente *por que* conseguiu aquele negócio".

Perguntei-lhe o que queria dizer com isso.

Pronunciou então a verdade mais profunda que já ouvi sobre a arte de vender, "O segredo mais importante para o vendedor é descobrir o que deseja o outro indivíduo, e depois ajudá-lo a encontrar a melhor maneira de consegui-lo. Nos primeiros minutos de sua entrevista com aquele Scott, você fez uma tentativa a esmo, e acidentalmente descobriu o que ele desejava. Depois mostrou-lhe *como* poderia consegui-lo. Você continuou falando, fazendo mais perguntas sobre o assunto, sem deixá-lo desviar-se daquilo que ele queria. Se você se lembrar sempre desta única regra, será fácil vender."

Durante o restante de minha estada de três dias em Boston, meu pensamento girou quase que exclusivamente em torno do que me dissera o Sr. Hunsicker. Ele tinha razão. Eu realmente não me dera conta *por que* tinha conseguido fechar aquele negócio. Se Clayt Hunsicker não o tivesse analisado e interpretado para mim, talvez eu tivesse continuado anos a fora errando ou acertando por acaso. Refletindo sobre o que me dissera, comecei a compreender por que havia encontrado aquela tremenda oposição na maior parte das minhas entrevistas. Vi que, quase sempre, eu apenas me intrometia, falava para conseguir um negócio, sem saber ou procurar saber alguma coisa sobre a situação dos homens que entrevistava.

Fiquei tão entusiasmado com essa nova idéia que eu havia posto em prática inconscientemente, que não via a hora de estar de volta em Filadélfia a fim de fazê-lo de um modo consciente.

Tudo isso me fez pensar mais em John Scott e em sua situação. Ocorreu-me de repente que ele tinha ainda uma *outra* tarefa a cuidar, isto é, planejar o futuro de seu negócio. Contara-me, com grande riqueza de minúcias, como viera da Irlanda para os Estados Unidos, rapazola de dezessete anos, arranjara emprego num pequeno armazém de secos e molhados, finalmente estabelecendo-se por conta própria e gradativamente desenvolvendo um dos maiores negócios atacadistas do gênero no Leste. Naturalmente tinha um apego sentimental por aquele negócio. Era a obra de sua vida. Seguramente havia de desejar que a firma continuasse a progredir por longo tempo após a sua morte.

Menos de trinta dias após a minha volta da assembléia de Boston, eu havia ajudado John Scott a estabelecer um plano para dar sociedade na firma a seus filhos e mais oito empregados de confiança. A resolução foi coroada por um jantar que ofereceu àqueles homens-chave no Clube dos Manufatureiros de Filadélfia. Eu era o único convidado de fora. O Sr. Scott levantou-se após o jantar e, numa oração breve mas cheia de emoção, contou aos seus homens o quanto era feliz para ele aquele momento. "Concluí agora os planos para o futuro das duas coisas que são mais chegadas ao meu coração, meu negócio e as missões estrangeiras que fundei."

O seguro de vida que fizeram aqueles homens todos, os novos sócios da firma, incluindo seguros adicionais do Sr. Scott, resultaram num negócio que me rendeu mais dinheiro em *um dia* do que eu havia conseguido ganhar antes num ano inteiro de trabalho como vendedor.

Na noite daquele jantar, compreendi em toda a sua plenitude o valor da lição que me fora ensinada por Clayt Hunsicker. Antes, eu pensava em vendas quase que só em termos de meio de vida. Temia procurar as pessoas, receando aborrecê-las. Mas agora, eu me sentia inspirado! Resolvi naquele momento dedicar o resto de minha carreira de vendedor ao seguinte princípio:

Descobrir o que as pessoas desejam, e auxiliá-las a obtê-lo.

Não lhes posso dizer o quanto isto me encheu de nova coragem e de entusiasmo. Aí estava algo mais do que uma técnica de vender. Era toda uma filosofia de vida.

6. ACERTANDO NO ALVO

UMA COISA que me surpreendeu naquela assembléia de Boston, foi o grande número de vendedores de destaque de todo o país que ali compareceram. Alguns haviam viajado longas distâncias, da Califórnia, do Texas e da Flórida. Comentei o fato com meu novo amigo Sr. Hunsicker.

"Ouça", disse-me ele de modo confidencial, "esses vendedores de primeira linha estão sempre sedentos de novas idéias e à caça de melhores métodos de trabalho. Vá a tais reuniões sempre que puder. Se obtiver *uma única* idéia nova, o tempo e dinheiro gastos serão o melhor investimento que você poderá fazer. Além disso terá oportunidade de conhecer alguns dos expoentes. Conhecê-los pessoalmente e ouvi-los falar servir-lhe-á de inspiração. Você voltará para casa com maior confiança e entusiasmo."

A utilidade deste conselho ficou plenamente confirmada para mim naquela viagem, pois o Sr. Hunsicker mesmo era um dos grandes e a idéia que me transmitiu era preciosa. Não admira que eu tivesse tantas vezes errado o alvo — pois se nem sequer sabia qual era! Dizem no futebol: "Não se pode chutar certo sem enxergar a bola."

Depois que Clayt Hunsicker me apontou o alvo, eu fui para casa e comecei de fato a exercitar-me no tiro.

Uns dois anos depois, numa reunião que se realizava em Cleveland, um orador de cujo nome não me lembro mais fez uma palestra notável sobre o que intitulava de "Regra Número Um da Arte de Vender". Um exemplo que apresentou ficou-me na memória até hoje. Foi o seguinte:

> Certa noite, um dos edifícios principais da Universidade de Wooster ficou completamente destruído por um incêndio. Dois dias após a catástrofe, Louis E. Holden, o jovem presidente da Universidade, foi procurar Andrew Carnegie.
>
> Entrando diretamente no assunto, Luis Holden disse: "Mr. Carnegie, o Sr. é um homem de negócios, como eu também. Não tomarei mais do que cinco minutos do seu tempo. O edifício principal da Universidade de Wooster foi anteontem destruído por um incêndio, e quero que o Sr. dê 100.000 dólares para construir um novo." Carnegie disse: "Meu prezado jovem, é contra meus princípios dar dinheiro a universidades."
>
> Holden replicou: "Mas é seu princípio ajudar aos moços, não é? Eu sou um moço Sr. Carnegie, e estou num apuro danado. Meu negócio é manufaturar da matéria-prima jovens universitários, e agora a melhor parte de minha fábrica se foi. O Sr. bem sabe o que sentiria se uma das suas usinas de aço fosse destruída, logo no período de maior atividade."
>
> Carnegie: Meu rapaz, trate de levantar 100.000 dólares em trinta dias, e eu lhe darei mais 100.000."

Holden: Dê-me sessenta dias e toparei a parada."

Carnegie: "Feito."

Apanhando seu chapéu, o Dr. Holden dirigia-se para a porta, quando o Sr. Carnegie ainda disse: "Olhe lá, sessenta dias, nenhum mais."

"Muito bem, senhor, estamos entendidos," respondeu Holden.

Essa entrevista de Louis Holden havia durado *cerca de quatro minutos*. Dentro de cinqüenta dias ele conseguiu levantar os 100.000 dólares. Quando lhe entregou o cheque, Andrew Carnegie disse rindo: "Meu caro amigo, se alguma vez voltar a visitar-me, não se demore tanto. Sua visita custou-me 25.000 dólares por minuto."

Louis Holden tinha visado bem o alvo. Sabia que um dos grandes fracos do Sr. Carnegie eram os jovens ambiciosos.

Provavelmente o Dr. Holden contribuiu muito para a frutificação de uma idéia muito maior do que o levantamento de 100.000 dólares para a Universidade de Wooster. Andrew Carnegie acabou doando mais de ...... 100.000.000 de dólares para o progresso da educação.

Aplicar esta regra: *Procure descobrir o que as pessoas desejam, e depois ajude-as a alcançá-lo*. Este é o grande segredo de vender qualquer coisa.

Há pouco tive ocasião de assistir a uma esplêndida demonstração do modo errado e do modo certo de aplicar esta regra. Encontrava-me numa grande cidade do Oeste quando um homem que chamarei de Brown me telefonou para o hotel. Disse o seguinte: "Sr. Bettger, meu nome é Brown. Vou instalar uma escola para vendedores aquí na cidade e espero poder inaugurá-la no próximo mês. Vou realizar uma grande concentração esta noite no hotel onde o Sr. está. Gastamos bastante dinheiro para anunciar essa reunião e creio que haverá uma assistência de algumas centenas de pessoas. Ficaria muito grato se o Sr. fizesse uma pequena palestra para nós. Teremos diversos outros oradores, de sorte que o Sr. não precisaria falar mais do que uns dez minutos. Aprendi por experiência que, a menos que eu consiga formar uma classe grande como resultado desta reunião, meu projeto terá de falhar. Assim sendo ficaria muito grato... etc... etc."

Eu não conheci esse Brown. Por que havia de sair dos meus cômodos para ajudá-lo a realizar o *seu* projeto? Eu estava ocupado com uma porção de coisas que queria fazer para mim mesmo. Além disso, estava me preparando para embarcar no dia seguinte. Desejei-lhe, pois, o melhor sucesso para o seu empreendimento, mas pedi-lhe que me desculpasse porque naquele momento eu estava por demais ocupado para atendê-lo.

Algumas horas depois, porém, telefonou-me outro homem, que chamaremos de White. O motivo do seu chamado era exatamente o mesmo projeto. Vejamos qual foi a sua maneira de abordar o assunto:

"Sr. Bettger, meu nome é White — Joe White. Parece-me que o Sr. Brown já lhe falou acerca de nossa reunião desta noite no hotel. Sei que o Sr. deve estar ocupadíssimo com seus preparativos de viagem, mas, se lhe fosse possível comparecer apenas por alguns minutos, Sr. Bettger, isso seria uma grande coisa. Sei que o Sr. está sempre interessado em auxiliar aos princpiantes, e nosso auditório será composto na maior parte de vendedores jovens, desejosos de se aperfeiçoarem e progredir. Creio que esse mesmo treinamento teria tido muita importância para o Sr. quando estava procurando iniciar-se na carreira. Não sei de ninguém, Sr. Bettger, que pudesse exercer melhor influência numa reunião dessas do que o Senhor!"

O primeiro homem cometeu o mesmo erro que eu estivera cometendo (e poderia continuar a fazê-lo pelo resto da vida se não fosse a lição de Clayt Hunsicker), ele falou de si mesmo, de seu empreendimento, e do que *ele* queria. O segundo não se referiu uma só vez ao que *ele* queria, mas visou diretamente o alvo. Apelou para mim inteiramente do *meu* ponto de vista. Achei impossível dizer "não" a essa espécie de apeio.

Dale Carnegie diz: "Há somente um meio no mundo de conseguir que alguém faça qualquer coisa. Já pensaram nisso? Sim, um único meio. É conseguir que a outra pessoa *queira* fazê-lo. Lembrem-se, não há outro meio."

Pouco antes da Segunda Guerra Mundial, eu estava realizando uma série de conferências em várias cidades do Oeste. Invariavelmente, quando eu acabava de falar sobre este ponto, alguns homens vinham fazer-me perguntas. Uma noite, em Des Moines, Iowa, um homem de meia-idade disse: "Sr. Bettger, compreendo que essa idéia lhe tenha sido muito valiosa na venda de apólices de seguro, mas eu angario assinaturas para uma revista de projeção nacional. Como é que eu poderia aplicá-la no *meu* trabalho?"

Tivemos os dois uma discussão franca. Esse homem havia tentado vender vários artigos durante alguns anos e se tornara um tanto cínico. Depois de eu lhe sugerir um método de abordagem diferente, separamo-nos, mas eu senti que ele não saíra muito entusiasmado com a conversa.

Na manhã do sábado seguinte, eu estava cortando o cabelo na barbearia do Hotel Fort Des Moines quando o mesmo homem me surgiu pela frente dizendo que tinha ouvido falar que eu ia embarcar logo depois do almoço, mas que *ele* precisava dizer-me uma coisa.

"Depois de sua palestra de terça-feira, Sr. Bettger," começou, com uma vivacidade surpreendente, "compreendi por que é que eu não ia para diante. Eu tentava vender revistas a homens de negócio, mas a maioria deles me dizia que eram tão ocupados que não lhes sobrava tempo para ler as revistas de que já tinham assinatura. Na quarta-feira consegui obter uma carta de um dos juízes mais conceituados da cidade dizendo que assina a nossa revista porque lhe transmite todas as notícias realmente importantes e interessantes da semana *numa única e breve noite de leitura.* Em seguida, arranjei uma lista grande de homens de negócio importantes que já são assinantes da revista. Agora Mr. Bettger, quando vou procurar novos assinantes, mostro-lhes a carta do juiz e aquela lista. A própria objeção que antes era meu obstáculo é agora meu maior trunfo. Mas o que vim lhe contar é que agora não estou mais impingindo revistas; estou vendendo aos homens ocupados algo que eles todos querem. Estou vendendo a coisa mais preciosa que há na vida — *mais tempo.*"

Apenas alguns dias antes, este vendedor sentia que quase todas as pessoas que procurava o olhavam de cima. Sentia constrangimento em procurá-las. Agora havia adquirido uma perpectiva inteiramente nova do trabalho que realizava.

Aí estava o *mesmo homem,* vendendo o *mesmo produto,* na *mesma cidade,* sendo bem sucedido onde antes falhara.

Como já lhes contei, há alguns anos fui eleito superintendente de uma pequena escola dominical. Achei que a necessidade mais imediata da escola era uma organização em escala maior. Pedi então ao pastor que me desse cinco minutos de tempo no programa do culto do domingo seguinte. Eu sabia que teria de realizar uma venda. Eu *poderia* ter dito à congregação que aquele cargo me havia sido imposto e que eu esperava que cooperassem comigo e me ajudassem, mas resolvi que eu teria muito mais probabilidades de conseguir o que *eu* queria, se lhes falasse acerca daquilo que *eles* queriam. Eis então o que eu disse:

"Quero falar-lhes apenas alguns minutos sobre algumas das coisas que desejam. Muitos dos senhores têm filhos. Desejam que eles venham aqui à escola dominical a fim de conhecer outras crianças simpáticas e aprender mais coisas sobre a vida através das verdades contidas no grande Livro. Queremos preservar nossos filhos de alguns dos erros que eu cometi, e talvez alguns dos senhores também. Como poderemos realizar isso?

"O único meio de consegui-lo é ampliar nossa organização. Temos atualmente apenas nove professores na escola dominical, incluindo o próprio pastor. Precisamos pelo menos de vinte e cinco. Alguns dos senhores talvez hesitem em ensinar pelo mesmo receio que eu tive, há apenas doze meses, quando tomei a meu cargo uma pequena classe de meninos — o de não conhecer suficientemente a Bíblia. Bem, posso-lhes dizer que aprenderão mais sobre o Livro Sagrado em seis meses ensinando essas crianças durante vinte minutos cada domingo, do que aprenderiam em seis anos ouvindo apenas — e o proveito será infinitamente maior para *os Senhores!*

"Maridos e esposas poderão juntos estudar e preparar as lições. Será mais um laço entre ambos, dar-lhes-á maior comunhão ainda. Se tiverem filhos *próprios*, eles também tomarão maior interesse vendo os pais ativos. Lembram-se da parábola de Jesus sobre os três homens a quem haviam sido dado os talentos? Aos Senhores, homens e mulheres, muitos talentos foram dados. Não sei de melhor maneira de aperfeiçoar e multiplicar os seus talentos do que este trabalho."

Que aconteceu? Naquela manhã, obtivemos vinte e um professores novos. A princípio, não havia crianças suficientes para todos, mas fizemos uma distribuição. Algumas classes começaram com apenas duas ou três. Passamos então circulares de casa em casa. Alistamos todas menos três crianças protestantes da comunidade de Wynnefield, Penssylvania. Finalmente, a pequena capela não chegava mais para conter todos os membros, e tivemos de construir uma nova igreja! Numa campanha de três meses, os fiéis da Igreja Presbiteriana Unida de Wynnefield levantaram 180.000 dólares, contribuição de 372 homens, mulheres e crianças.

Esse resultado extraordinário certamente não era devido apenas àqueles professores, mas não há-dúvida de que aquilo não poderia ter sucedido se não fosse o crescimento da escola dominical.

Se você mostrar a um homem o que ele deseja, ele moverá céus e terras para consegui-lo.

Esta lei universal é de importância tão capital que tem precedência sobre todas as outras leis das relações humanas. Sempre *foi*, e sempre será a mais importante. Sim, levanta-se como a Regra Número Um sobre todas as outras regras da civilização.

Benjamin Franklin compreendeu a importância desta lei. Formulou mesmo uma oração que o ajudou a gravá-la bem no coração. Quando comecei a ler a autobiografia de Franklin, descobri com interesse que ele dissera a mesma oração todos os dias durante cinqüenta anos. Moro em Filadélfia, a cidade em que Benjamin Franklin passou a maior parte de sua vida, e ele sempre foi para mim uma inspiração.

Disse a mim mesmo. "Se aquela prece ajudou a Benjamin Franklin, com certeza me ajudará também" — e assim estou a repetir a prece há mais de vinte e cinco anos. Ajudou-me a deixar de pensar em mim mesmo e no que ia lucrar num negócio, e consegui pensar um pouco no outro indivíduo e no que *ele* poderia lucrar com o negócio. Franklin escreveu: "...e reconhecendo ser Deus a fonte da sabedoria, julguei certo e necessário solicitar Sua assistência para obtê-la; para este fim, compus a seguinte oração que afixei às minhas tábuas de exame para uso diário."

É esta a oração — a oração de *Benjamin Franklin*:

Ó bondade poderosa! Pai misericordioso! Guia infalível! Aumentai em mim aquela sabedoria que descobre meus interesses mais verdadeiros. Fortalecei minha resolução de realizar o que aquela sabedoria ditar. Aceitai meus bons ofícios em favor de Vossos outros filhos como a única retribuição em meu poder pelos contínuos favores por Vós dispensados a mim.

RESUMO

1. O segredo mais importante da arte de vender é descobrir o que deseja o outro indivíduo, e depois ajudá-lo a encontrar o melhor meio de conseguir aquilo.

2. Existe apenas um único meio de conseguir que alguém faça alguma coisa. Já pensou nisso? Sim, um único meio. É conseguir que a outra pessoa queira fazê-lo. Lembre-se, não há outro meio.

3. Se você mostrar a um homem o que ele *deseja*, ele moverá céus e terras para consegui-lo.

7. UMA VENDA DE 250.000 DÓLARES EM 15 MINUTOS

Depois daquele dia em que Clayt Hunsicker me chamou de parte lá em Boston e me ensinou o grande segredo da arte de vender, meu entusiasmo atingiu um nível nunca antes alcançado e eu julgava que daí por diante só teria de procurar as pessoas — e vender seria a coisa mais fácil do mundo!

Durante os meses seguintes, meus registros acusaram realmente um movimento bem maior, mas ainda assim eu encontrava muita oposição, e não podia compreender por quê.

Um dia, quando estava assistindo a um congresso de vendedores no Belle-Vue Stratford Hotel em Filadélfia, ouvi de um dos vendedores de maior renome em meu país a revelação de um método extraordinário, que me forneceu a resposta em admirável síntese. Era ele J. Elliott Hall, de Nova York. Apesar de retirado dos negócios há vários anos, os rendimentos alcançados por Elliott Hall ainda se mantêm entre os mais altos registrados até hoje.

O Sr. Hall contou como, após ter sido tão mal sucedido como vendedor que estivera a ponto de abandonar a profissão, descobriu *a razão* de seu insucesso. Segundo disse, fazia "afirmações positivas" em demasia.

Isto me pareceu uma tolice.

Mas, em seguida, ele eletrificou o grande auditório convidando-o a levantar objeções, às quais responderia. Dois mil vendedores começaram imediatamente a bombardeá-lo de todos os lados — objeções com as quais os fregueses os faziam "bater em retirada" todos os dias.

A agitação cresceu quando Elliott Hall deu a superdemonstração de como ele enfrentava essas objeções — não com chavões encontrados em livros sobre "Como Enfrentar Objeções". Fez frente àquela avalancha de objeções *fazendo perguntas*.

Não tentou convencer seus oponentes de que estavam errados e mostrar-lhes que ele era muito mais esperto. Apenas fez perguntas com as quais seus oponentes eram obrigados a concordar. E continuou a fazer perguntas até que as respostas se resumissem *numa única* conclusão — uma conclusão sensata baseada em fatos.

A lição profunda que aprendi daquele vendedor mestre mudou toda a minha maneira de pensar. Em nenhum momento ele deu a impressão de estar tentando persuadir ou influenciar alguém a adotar o *seu* ponto de vista. As perguntas de Elliott Hall tinham apenas um propósito:

> *Auxiliar o outro indivíduo a reconhecer o que quer, depois ajudá-lo a resolver como conseguir aquilo.*

Uma das objeções mais difíceis de vencer, de acordo com as declarações do auditório, era: "Ainda não resolvi se vou ou não ficar com isso."

"Minha tarefa," respondeu o Sr. Hall, "é ajudar o cliente a resolver. Não se trata de resolver pró ou contra..." Em seguida, resumiu tudo com perguntas.

"Quero pensar melhor sobre o caso", disse um dos vendedores, era a frase que constituía a sua dificuldade.

"Vamos ver se podemos ajudá-lo a pensar no caso", respondeu o Sr. Hall. "Não *precisa* pensar sobre...". E lá voltou o Sr. Hall às perguntas, a fim de ajudar a seu objetor a descobrir sobre o *que* é que queria pensar. Apesar de toda a sua persistência, ninguém ficou com a impressão de que o Sr. Hall estava discutindo ou contradizendo alguém. Suas palavras eram incisivas, mas nem uma só vez discutiu, ou contradisse, ou procurou impor uma opinião fixa. Sua atitude nunca foi de "Eu sei que estou com a razão; você está errado."

Seu método de auxiliar as pessoas a cristalizarem suas idéias — por meio de perguntas — continua sem paralelo na minha experiência. Nunca me esquecerei dele e da substância do que disse.

Naquele dia, enquanto eu escutava, de olhos arregalados, ao que dizia Elliott Hall, resolvi que, daí por diante, minha maior ambição seria tentar cultivar essa grande arte que ele dominava em tão alto grau — a arte de fazer perguntas.

Alguns dias depois da palestra do Sr. Hall, um amigo telefonou-me e disse que um grande industrial de Nova York estava para fazer um seguro de vida de 250.000 dólares. Perguntou se me interessava apresentar uma proposta. A firma desse industrial ia levantar um empréstimo de 250.000 dólares e os credores faziam questão de um seguro de igual importância sobre a vida do presidente da companhia. Umas dez das grandes companhias de seguro de Nova York já haviam apresentado suas propostas.

"Claro que me interessa," respondi, "se você puder arranjar uma entrevista para mim."

Mais tarde, meu amigo telefonou de novo para dizer que havia combinado uma entrevista para o dia seguinte, às dez e quarenta e cinco. Eis o que resultou:

Primeiramente fiquei sentado à minha mesa pensando o que fazer. A palestra de Elliott Hall ainda estava fresca em minha mente. Decidi preparar uma série de perguntas. Durante meia hora meu pensamento se movia apenas em círculos. Depois algumas perguntas começaram a brotar — perguntas destinadas a auxiliar àquele homem a cristalizar as suas idéias e a fazer com que ele pudesse tomar uma decisão. Isto me tomou quase duas horas. Finalmente eu havia anotado catorze perguntas ao acaso. Em seguida, ordenei-as numa seqüência mais lógica.

Na manhã seguinte, no trem que me levava a Nova York, reestudei de novo todas as perguntas, sob todos os aspectos. Quando o trem entrou na estação eu estava tão excitado que mal podia esperar a hora da entrevista. A fim de fortalecer minha autoconfiança, resolvi adiantar-me à sorte. Telefonei a um dos maiores médicos examinadores de Nova York e marquei uma consulta em nome de meu futuro cliente, para as 11h30.

Chegando ao escritório do industrial, fui recebido pela secretária. Ela abriu a porta do escritório presidencial e a ouvi dizer: "Sr. Booth, está aqui um Sr. Bettger de Filadélfia. Diz que tem uma entrevista marcada com o Sr. para as dez e quarenta e cinco."

BOOTH. Ah, sim, Mande-o entrar.

EU. Sr. Booth!

BOOTH. Muito prazer, Sr. Bettger. Sente-se. (*Mr. Booth esperou que eu falasse, mas eu esperei por ele.*) Sr. Bettger, sinto muito, mas acho que o Sr. está perdendo seu tempo.

EU. Por quê?

BOOTH. (*Apontando para um monte de propostas e ilustrações sobre a mesa*). Já recebi propostas de todas as grandes companhias de Nova York, três das quais apresentadas por amigos meus — um deles até um amigo muito chegado; jogo golfe com ele aos sábados e domingos. Ele é da New York Life; essa é uma companhia excelente, não é?

EU. Não há melhor no mundo!

BOOTH. Muito bem, sr. Bettger, nestas condições, se ainda deseja apresentar-me uma proposta, pode fazer os cálculos para um seguro de 250.000 dólares pelo plano comum correspondente à minha idade, quarenta e seis anos, e mandá-la *pelo correio*. Juntá-la-ei a essas outras propostas e qualquer dia da próxima semana ou da outra espero chegar a uma decisão. Se seu plano for o mais barato e melhor, o negócio será seu. Mas acho que o Sr. está perdendo seu tempo e eu o meu.

EU. Sr. Booth, se o Sr. fosse meu próprio irmão, eu lhe diria o que vou dizer agora.

BOOTH. O que é?

EU. Sabendo o que sei acerca do negócio de seguros, se o Sr. fosse meu irmão, eu lhe diria que pegasse todas essas propostas e as jogasse no cesto de papel.

BOOTH. (*evidentemente espantado.*) Por que diz isso?

EU. Bem, em primeiro lugar, a fim de interpretar devidamente essas propostas, é preciso ser atuário, e para se tornar um atuário o Sr. levaria sete anos. Mas mesmo se fosse capaz de selecionar a proposta mais barata hoje, daqui a cinco anos essa mesma companhia pode estar entre as mais caras de todo esse grupo. Esta é a história. Francamente, as companhias que o Sr. escolheu são as melhores do mundo. O Sr. poderia pegar todas as propostas, espalhá-las sobre a mesa fechar os olhos, e aquela em que seu dedo caísse por acaso, tem tanta probabilidade de ser a proposta mais barata como aquela que o Sr. escolhesse depois de pensar durante *semanas*. Agora, Sr. Booth, minha tarefa é auxiliá-lo a chegar a uma decisão final. Para isso, é preciso que eu lhe faça algumas perguntas. Está de acordo?

BOOTH. Perfeitamente. Pode começar.

EU. Segundo entendi, sua companhia deverá receber um crédito de um quarto de milhão de dólares. Uma das cláusulas do contrato é que sua vida seja segurada em

250.000 dólares, e as apólices consignadas aos seus credores. É exato isso?

BOOTH. É. Isso mesmo.

EU. Em outras palavras, eles têm confiança no senhor mas na eventualidade de sua morte, não têm a mesma confiança em sua companhia, não é verdade, Sr. Booth?

BOOTH. É, acho que é isso.

EU. Então não será de capital importância — na verdade, a *única* coisa de importância — que o Sr. obtenha esse seguro imediatamente e transfira o risco para as companhias de seguro? Imagine que o Sr. acordasse hoje, no meio da noite, e se lembrasse de repente de que o seguro contra fogo sobre a sua grande fábrica de Connecticut havia expirado ontem. O Sr. com certeza não poderia mais dormir todo o resto da noite! E a primeira coisa que o Sr. faria amanhã cedo seria chamar ao telefone o seu corretor para que tomasse com urgência as providências necessárias, não é mesmo?

BOOTH. Claro que sim.

EU. Pois bem, seus credores consideram esse seguro sobre a sua vida da mesma importância que o Sr. considera o seguro contra fogo sobre a sua fábrica. Não é possível que se alguma coisa o impedisse de obter esse seguro de vida, seus credores se veriam obrigados a reduzir ou mesmo a recusar-lhe todo o empréstimo?

BOOTH. Ah, não sei, mas creio que é bem possível.

EU. E, se o Sr. se visse impossibilitado de obter o empréstimo, isso não significaria uma diferença de milhares e milhares de dólares para o Sr.? Talvez a diferença entre lucro e prejuízo para os seus negócios este ano?

BOOTH. Sim, acho que é exato.

EU. Sr Booth, creio que estou na situação de poder fazer neste momento pelo Sr. uma coisa que ninguém mais poderá fazer!

BOOTH. Que quer dizer com isso?

67

Eu. Tenho uma consulta marcada para o Sr. esta manhã, as onze e trinta, com o Dr. Carlyle, um dos primeiros médicos clínicos de Nova York. Seu exame é reconhecido por praticamente todas as companhias de seguro. É o único clínico que conheço de quem um único exame é válido para um seguro de vida de 250.000 dólares. Possui eletrocardiógrafo e fluoroscópio, e todos os demais equipamentos necessários para um exame como o Sr. precisa, lá mesmo em seu consultório, Broadway n.º 150.

Booth. E aqueles meus corretores não podem fazer o mesmo para mim?

Eu. Esta manhã, de maneira alguma! Sr. Booth, imagine que o Sr., reconhecendo a importância de esse exame ser feito imediatamente, telefonasse a um desses corretores hoje à tarde e o encarregasse de agir com a maior urgência. A primeira coisa que ele faria, seria telefonar a um de seus amigos, um examinador de profissão, fazendo-o vir aqui esta tarde mesmo para o primeiro exame. Se os papéis do doutor fossem expedidos esta noite pelo correio, um dos diretores médicos da companhia de seguros estaria com eles em mãos amanhã cedo e, sentado à sua mesa, examinaria o Sr. no papel. Se ele então concluísse que o Sr. representa um risco de 250.000 dólares, determinaria um segundo exame a ser feito por outro médico que tenha o equipamento necessário para exame completo. Tudo isso representa demora. Por que haveria o Sr. de correr o risco por mais uma semana, mesmo por mais um dia?

Booth. Ora, não vou morrer tão depressa.

Eu. Imagine que o Sr. acorde amanhã cedo com dor de garganta e daí sobrevenha uma gripe que o retenha na cama por uma semana? E quando o Sr. pudesse levantar-se para o exame médico a companhia de seguros dissesse: Sr. Booth, estamos certos de que o Sr. ficará completamente bom, entretanto, surgiu uma pequena complicação em conseqüência de sua recente doença, e somos obrigados a adiar o negócio por três ou quatro meses até que fique estabelecido se é uma condição temporária, ou algo permanente." O Sr. então teria de comunicar aos seus credores que a decisão final estava adiada. Não seria possível que, à vista disso, eles também adiassem a concessão do empréstimo ao Sr.? Não existe essa *possibilidade*, Sr. Booth?

BOOTH. Sim, claro que existe.

EU. (*olhando para o meu relógio*). Sr. Booth, são agora onze e dez. Se sairmos imediatamente, chegaremos ainda em tempo para a consulta com o Dr. Carlyle, às onze e trinta. A sua aparência é a melhor possível. Se o Sr. estiver tão bem por dentro como parece por fora, o Sr. poderá ter o negócio do seguro concluído dentro de quarenta e oito horas. O Sr. *está* se sentindo bem esta manhã, não está, Sr. Booth?

BOOTH. Estou perfeitamente bem.

EU. Pois então esse exame não é a coisa mais importante que o Sr. tem a fazer neste momento?

BOOTH. Sr. Bettger, a quem está representando?

EU. Represento o Sr.!

BOOTH. (*abaixando a cabeça pensativamente. Acende o cigarro. Depois de alguns instantes levanta-se da cadeira com movimentos lentos, lança um olhar ao espaço, vai até a janela, depois até o porta-chapéus. Toma do chapéu e volta-se para mim.*) Vamos!

Fomos ao consultório do médico pelo subterrâneo da Sexta Avenida. Terminado o exame com resultado satisfatório, o Sr. Booth parecia de repente ter-se tornado meu amigo. Insistiu em convidar-me para o almoço. Quando principiamos a comer, ele olhou para mim e começou a rir. "Afinal," perguntou, "*qual* é a companhia que representa?"

8. ANÁLISE DOS PRINCÍPIOS BÁSICOS EMPREGADOS NA REALIZAÇÃO DAQUELE NEGÓCIO

Vamos analisar aquele negócio. Já sei o que estão pensando. Estão dizendo para si mesmos: "Como posso *eu* usar essa técnica? Pode dar resultado para o Sr., que trabalha em seguros. Mas como poderei *eu* usá-la?" Pois bem, podem usar a mesma técnica para vender "sapatos e navios e cera de lustrar móveis," e vou mostrar-lhes como.

1. MARQUEM ENTREVISTAS.

Sejam esperados Levarão grande vantagem se marcarem entrevista. Isso dirá à pessoa que procuram que consideram valioso o tempo *dela*. Inconscientemente, essa pessoa reconhecerá também o valor do *seu* tempo. Eu teria tido aquela oportunidade se tivesse ido a Nova York para ver o industrial *sem entrevista marcada*.

2. ESTEJA PREPARADO.

O que fariam se tivessem sido convidados para falar numa assembléia conjunta das Câmaras Júnior e Senior de Comércio e todas as outras entidades de utilidade pública de sua cidade, e lhe pagassem 100 dólares por isso? Gastariam muitas horas na preparação da palestra, não é verdade? Passariam noites em claro ensaiando exatamente como começariam o discurso; os pontos a serem tratados; o final. Considerariam aquilo um acontecimento, não é mesmo? Por quê? Porque teriam um auditório de algumas centenas de pessoas. Pois bem, não se esqueçam, não há diferença entre um auditório de quatrocentos indivíduos e um auditório de um só. E talvez lhe renda *mais* do que 100 dólares. Num período de alguns anos, poderá representar centenas de dólares. Então, por que não tratar cada entrevista como um acontecimento.

Depois de ter recebido aquele telefonema de meu amigo dizendo que havia marcado uma entrevista para a manhã seguinte, fiquei bem uns trinta minutos sentado pensando o que diria àquele homem. Nada que me vinha à cabeça me parecia satisfatório. "Bem," pensei, "estou cansado agora. Pensarei amanhã cedo quando for para lá, no trem."

Depois aquela vozinha murmurou-me ao ouvido: "Amanhã cedo, nada! *Você vai fazê-lo agora mesmo!* Você sabe como lhe falta confiança quando sai sem estar preparado. Esse homem concedeu-lhe uma entrevista, Bettger. Vamos, *prepare-se!* E vá procurá-lo com uma atitude firme, convincente!"

Tendo passado algum tempo a pensar, ocorreu-me a pergunta: "Qual é o ponto-chave?" Isto não foi difícil de responder. Crédito. Esse fabricante de seda precisa de crédito. Seus credores insistem em que sua vida seja posta no seguro. Cada dia, cada hora que passa sem tomar as providências necessárias para obter o seguro, ele corre um risco sério. O custo líquido do seguro não tem realmente qualquer importância.

Esta pequena idéia tão simples tem me prestado ajuda constante na preparação para uma entrevista ou um discurso. Sempre me encaminho bem quando primeiro pergunto a mim mesmo:

3. QUAL É O PONTO-CHAVE?

Ou qual é o ponto de maior interesse? Ou então, qual é o ponto mais vulnerável? Foi isso que me fez ganhar aquele negócio em concorrência com dez outras companhias importantes.

Ouçam o que me disse o Sr. Booth naquele dia, enquanto estávamos almoçando:

"Creio que alguns de meus amigos dos seguros vão ter um grande choque. Mas eles andaram à minha volta durante semanas, empurrando-se uns aos outros, cada qual tentando convencer-me de que seu plano era muito mais barato. Você não empurrou ninguém, mas fez-me compreender o risco que eu estava correndo com a espera." — Depois, com um sorriso franco: "Eu fiquei de fato amedrontado com a possibilidade de perder aquele empréstimo. Cheguei à conclusão de que seria simplesmente estúpido até se fosse almoçar *antes* de me submeter àquele exame."

Aquele negócio ensinou-me uma grande lição: Nunca tente abranger pontos demais; não obscureça o ponto principal; descubra o que é, e vá direito ao assunto.

4. ANOTAÇÃO DAS PALAVRAS-CHAVES.

Será uma pessoa excepcional aquela que possa ir a uma entrevista, conferência, ou mesmo fazer um telefonema importante, e
 a) Lembrar-se de todos os pontos a serem abordados.
 b) Abrangê-los em ordem lógica.
 c) Ser breve e ater-se ao ponto principal.

Quanto a mim, é quase certo eu tropeçar, a menos que tome primeiro as minhas notas. Quando me preparei para a entrevista com Booth, anotei as palavras-chaves. Em caminho, no trem, li e reli essas notas até saber exatamente o que iria dizer, e como iria dizê-lo. Isto me deu confiança. Nem uma só vez tive de recorrer às notas durante a entrevista. Entretanto, quando minha memória falha durante alguma entrevista, não hesito em puxar a ficha que contém as anotações dos pontos básicos.

5. FAÇA PERGUNTAS.

Das catorze perguntas preparadas na véspera, usei de fato onze. Na realidade, toda essa entrevista de quinze minutos consistiu, na maior parte, de perguntas e respostas. A importância de *fazer perguntas* é tão vital, e tem sido um fator tão preponderante em qualquer êxito que tive nas vendas, que vou dedicar a esse assunto todo o capítulo seguinte.

6. EXPLODA DINAMITE!

Faça qualquer coisa inesperada, surpreendente. É muitas vezes necessário despertar as pessoas e induzi-las à ação para o seu próprio bem. Mas é melhor não fazê-lo, se não estiver preparado para sustentar a explosão com fatos, não opiniões.

Eu disse ao Sr. Booth: "Sabendo o que sei acerca do negócio de seguros, se o Sr. fosse meu próprio irmão, eu lhe diria que pegasse todas essas propostas e as jogasse já no cesto de papel!"

7. DESPERTE RECEIO.

Fundamentalmente, há apenas dois fatores que impelem os homens à ação: o desejo de lucro, e o temor de prejuízo. Os agentes de publicidade nos dizem que o receio é o maior fator de motivação quando o assunto envolve risco ou perigo. Toda a conversa com o Sr. Booth baseava-se no *medo* e no risco desnecessário que ele corria de perder o empréstimo de 250.000 dólares.

8. INSPIRE CONFIANÇA.

Se você for absolutamente sincero, há muitas maneiras de captar a confiança das pessoas. Acredito que foram as quatro regras seguintes que me ajudaram a ganhar a confiança daquele homem desconhecido:

a) Seja um Comprador Assistente.

Preparando-me para a entrevista, imaginei-me no papel de um empregado da companhia do Sr. Booth. Assumi o papel de um "comprador assistente encarregado dos seguros". Neste assunto meus conhecimentos eram superiores aos do Sr. Booth. Convencido disso, eu não hesitei em pôr nas minhas palavras toda a firmeza e entusiasmo de que era capaz. Esta idéia fez com que me sentisse absolutamente sem medo. A atitude de comprador assistente foi um auxílio tão decisivo para mim naquele negócio que continuei pelos anos afora a representar esse papel. Insistia sempre com os jovens empenhados em vender, ou tratar com as pessoas em que se tornassem compradores assistentes. As pessoas não gostam de ser vendidas. Gostam de comprar.

b) "Se fosse meu próprio irmão, eu lhe diria o que vou dizer agora..."

Um poderoso ganha-confiança, se puder empregá-lo com absoluta sinceridade. Estas foram quase que as primeiras palavras que dirigi ao Sr. Booth. Olhei-o bem nos olhos e pronunciei as palavras com sentimento. Em seguida esperei que ele dissesse qualquer coisa. Fez a pergunta que quase todos fazem: "O que é?"

c) Elogie seus concorrentes.

"Se não puder gabar-se, não desfaça dos outros" é sempre uma regra segura. Verifiquei que é um dos meios mais rápidos de ganhar confiança. Procure dizer algo de bom sobre o outro. Quando o Sr. Booth falou num amigo que possuía na New York Life, disse: "Essa é uma companhia excelente, não é?" Eu logo respondi: "Não há melhor no mundo!" Depois voltei sem demora às minhas perguntas.

d) "Estou na situação de poder fazer neste momento pelo Sr. uma coisa que ninguém mais poderá fazer."

Uma frase impressionante. Quando aplicada com honestidade, o efeito é surpreendente. Vejamos um exemplo: Certa ocasião, quando Dale Carnegie e eu estávamos para tomar o trem da noite em Des Moines, Iowa, Russell Levine, um jovem muito ativo membro da Câmara Júnior de Comércio, patrocinadora da nossa escola, compareceu à estação para a despedida. Russell disse: "Uma das suas frases vendeu ontem todo um vagão de óleo por mim."

Russel contou que na véspera procurara um cliente e lhe dissera: "Estou na situação de fazer pelo senhor esta manhã uma coisa que ninguém mais poderá fazer."

"O que é?" perguntara o cliente, surpreendido.

"Posso arranjar-lhe todo um vagão de carga de óleo", respondera Russell.

"Não" dissera o cliente.

"Por que não?" perguntara Russell.

"Eu não teria espaço para guardá-lo", respondera o homem.

"Sr. D.," retrucara Russell com seriedade, "se o Sr. fosse meu próprio irmão, eu lhe diria o que vou lhe dizer agora."

"O que é?" perguntara o cliente.

"Fique com essa carga de óleo agora. Vai haver falta e o Sr. não conseguirá mais tarde o que precisa. Além disso, vai haver um grande aumento no preço."

"Não," repetira o homem, "não tenho aqui espaço suficiente."

"Alugue um depósito," sugerira Russell.

"Não," fora a resposta, "tenho que deixar passar o negócio."

Algumas horas depois, ao voltar ao escritório, Russell encontrara um recado para telefonar ao homem. Tendo-o chamado, este dissera: "Russell, aluguei uma velha garagem onde posso guardar aquele óleo, de sorte que está fechado o negócio!"

9. EXPRESSE COM HONESTIDADE SUA APRECIAÇÃO DA HABILIDADE DE SEU OUVINTE.

Todo mundo gosta de sentir-se importante. As pessoas estão sempre sedentas de elogios, ansiosas por ouvir apreciações sinceras. Mas não é preciso exagerar. O efeito será muito maior se formos comedidos. Sei que dei prazer àquele grande industrial quando lhe disse: "Eles têm confiança no *senhor*, mas, na eventualidade de sua morte, não têm a mesma confiança em sua companhia, não é verdade, Sr. Booth?"

10. DÊ O NEGÓCIO POR CERTO.

Tome uma atitude confiante. Eu fiz o jogo de marcar uma consulta com o Dr. Carlyle antes mesmo de ter visto o meu cliente. Pus todas as minhas fichas num vencedor.

11. DÊ ÊNFASE À PESSOA DO SEU ENTREVISTADO.

Anos depois, quando já havia aprendido mais acerca dos princípios básicos, tornei a analisar aquela venda e verifiquei com surpresa que havia usado as palavras "o senhor" e "seu" *sessenta e nove vezes* naquela curta entrevista de quinze minutos. Não me lembro onde foi que ouvi pela primeira vez falar nesse teste, mas é um meio excelente para certificar-se de que está praticando a mais importante de todas as regras:

Procure encarar as coisas do ponto de vista da outra pessoa e fale em termos de suas necessidades, interesses e desejos.

Quer fazer uma experiência altamente interessante e proveitosa consigo mesmo? Escreva tudo o que disse em sua última visita a um cliente. Veja então em quantas frases poderia riscar os pronomes "eu" ou "nós" e mudá-los para "o senhor" ou "seu". Dê ênfase à pessoa do seu entrevistado.

9. COMO CONSEGUI MAIOR RENDIMENTO DE MINHAS ENTREVISTAS PELO PROCESSO DE FAZER PERGUNTAS

UMA IDÉIA nova às vezes produz modificações rápidas e revolucionárias no raciocínio da gente. Por exemplo, pouco tempo antes de realizar aquele negócio em Nova York, eu havia estabelecido como alvo um movimento de um quarto de milhão de dólares por ano. Julgava que trabalhando com afinco e com método, seria capaz de fazê-lo.

Agora, de repente, eu havia feito um movimento de um quarto de milhão em *um dia!* Fantástico! Como pode ser isso? Apenas uma semana atrás, um quarto de milhão por ano parecia uma enormidade. Agora, cá estava eu pensando "meu alcance será um milhão!"

Estes foram alguns dos pensamentos que me disparavam pela cabeça aquela noite, durante a viagem de volta a Filadélfia. Achava-me numa espécie de embriaguez emocional. Minha excitação era tal, que não podia parar sentado. Andava pelo carro de uma ponta a outra. Todos os lugares estavam ocupados, mas não me lembro de ter visto qualquer pessoa. Revivia continuamente a entrevista. Palavra por palavra. O que Mr. Booth disse. O que eu disse. Finalmente sentei-me e escrevi a entrevista toda.

"Como teria sido fútil e ridícula aquela viagem", dizia a mim mesmo, "se não tivesse ouvido a palestra de Elliott Hall sobre a importância de fazer perguntas." A verdade é que, alguns dias antes, eu nem sequer teria considerado a hipótese de ir a Nova York para um negócio daquela ordem.

Compreendi que, se eu tivesse tentado dizer exatamente as mesmas coisas sem lhes dar a forma de perguntas, teria sido posto para fora em três minutos sem mais nem menos! Embora eu tivesse dito tudo que tinha a dizer com toda a força de expressão possível, aquele importante industrial não mostrara o menor ressentimento. O fato de eu ter exposto minhas idéias em forma de perguntas mostrara-lhe meu interesse em auxiliá-lo a resolver a questão, mas ao mesmo tempo lhe respeitara a posição de comprador. Cada vez que ele apresentava uma objeção ou comentário, eu lhe devolvia a bola com outra pergunta. Quando finalmente ele se levantou, tomou o chapéu e disse: "Vamos!", eu sabia que o fazia como se a idéia tivesse sido sua.

Poucos dias depois, obtive uma carta de apresentação de um amigo ao jovem presidente de uma firma construtora que estava então com diversos projetos importantes em andamento. Era uma das organizações mais promissoras da cidade.

O jovem presidente leu minha carta de introdução num relance e disse: "Se é a respeito de seguros que veio procurar-me, não estou interessado. Acabo de aumentar o seguro, faz um mês."

Havia em sua atitude qualquer coisa de tão terminante, que senti seria imprudência insistir. Entretanto, desejava sinceramente conhecer melhor aquêle homem, e me aventurei a uma pergunta:

"Sr. Allen, como foi que iniciou carreira no negócio de construções?"

Fiquei ouvindo durante três horas.

Finalmente sua secretária entrou com alguns cheques para ele assinar. Quando ela se retirou o jovem diretor levantou os olhos para mim, mas nada disse. Olhei-o também em silêncio.

"Que deseja que eu faça?" perguntou ele.

"Gostaria que respondesse a algumas perguntas," repliquei.

Saí de lá sabendo exatamente o que estava em sua mente — suas esperanças, ambições, objetivos. A certa altura da entrevista disse: Não sei por que lhe estou contando todas estas coisas. Sabe agora mais do que já contei a qualquer pessoa — incluindo minha esposa!

Creio que naquele dia descobriu coisas que nem ele mesmo sabia; coisas que nunca haviam tomado forma definitiva em sua própria mente.

Agradeci-lhe a confiança e disse-lhe que dedicaria algum tempo e estudo às informações que acabava de me prestar. Duas semanas mais tarde, apresentei-lhe e a seus dois sócios um plano para a perpetuação e proteção de seu negócio. Era véspera de Natal. Deixei o escritório daquela companhia às quatro horas da tarde com ordens assinadas para um seguro de 100.000 dólares sobre a vida do presidente; 100.000 sobre a do vice-presidente; e 25.000 sobre a do secretário-tesoureiro.

Este foi o começo de uma estreita amizade pessoal com aqueles homens. Durante os anos seguintes, os negócios que fiz com eles atingiram o total de três quartos de milhão de dólares.

Em nenhuma ocasião tive a sensação de lhes ter "vendido" qualquer coisa. Sempre eles "compraram". Em lugar de lhes dar a impressão de que eu era o sabido — como de meu hábito antes de ter ouvido falar J. Elliott Hall — *eu fazia com que eles me informassem*, quase sempre pelo processo de perguntas.

Por um quarto de século tenho achado este método de tratar com as pessoas cem vezes mais eficiente do que tentar convencê-las a adotarem o *meu* ponto de vista.

Ao tempo em que recebi essa idéia de Mr. Hall, pensei que ele tivesse descoberto uma novidade. Pouco depois, soube que outro grande vendedor, aqui mesmo em Filadélfia, se dera ao trabalho de escrever alguma coisa sobre o assunto 150 anos antes de eu conhecer Mr. Hall. Talvez tenham ouvido falar nele. Seu nome era Benjamin Franklin.

Franklin contou como desencavou essa idéia dos escritos de um homem que vivera em Atenas, Grécia, 2.200 anos antes de Ben Franklin mesmo ter nascido. O nome daquele homem era Sócrates. Através do *seu* método de perguntar, Sócrates fez algo que poucos homens em toda a história foram capazes de fazer — mudou o pensamento do mundo.

Fiquei sabendo, com surpresa, que Franklin, quando jovem, tinha dificuldade no trato com as pessoas, fazia inimigos porque argumentava, fazia afirmações demasiado positivas, tentava dominar os outros. Finalmente, compreendeu que estava perdendo todo o terreno. Começou então a interessar-se pelo estudo do método socrático. Apaixonou-se por essa arte e tratou de desenvolvê-la e praticá-la continuamente.

"Acredito que este hábito", escreveu Franklin, "me tenha dado grandes vantagens nas ocasiões que tenho tido de persuadir homens a adotarem medidas de cuja propagação de tempo em tempo me ocupei; e, sendo o objetivo principal da conversação informar e ser informado, desejaria que homens sensatos, bem-intencionados não diminuíssem seu poder de fazer o bem assumindo uma atitude demasiado positiva, de presunção, que tende a criar oposição e derrotar todos os propósitos para os quais nos foi dada a palavra."

Franklin tornou-se mestre na arte de fazer os outros falarem; mas considerava de extrema importância a seguinte simples regra para *preparar* a outra pessoa para responder às suas perguntas:

"Quando um outro afirmava qualquer coisa que eu julgasse errada, furtava-me ao prazer de contradizê-lo bruscamente e de apontar imediatamente algum absurdo em suas assertivas; ao responder, começava por observar que *em certos casos ou circunstâncias ele teria razão, mas, no caso presente, me parecia haver alguma diferença* etc. Não tardei a verificar os efeitos desta modificação na minha atitude; a conversação tornava-se mais agradável. A maneira discreta em que eu apresentava minhas opiniões fazia com que encontrassem aceitação mais pronta e menos oposição; era menor minha mortificação quando se evidenciava que eu estava errado e tornava-se mais fácil convencer os outros a abandonarem o seu erro e concordar comigo quando a razão estava do meu lado."

Este processo me pareceu tão simples e prático que comecei a experimentá-lo no meu trabalho de vender. Os bons resultados foram imediatos. Tudo que eu fazia era adaptar o melhor possível as palavras de Franklin à ocasião presente no momento.

Coro agora quando me lembro de como eu costumava dizer: "Não posso concordar com o Sr. neste ponto porque..."

A frase habitual "não acha" é uma fórmula que me ajuda a evitar fazer tantas afirmações positivas. Por exemplo, se eu disser: "Devemos evitar fazer tantas afirmações positivas. Devemos fazer mais perguntas," eu estou apenas externando *minha* opinião. Mas se eu disser: *"Não acha* que deveríamos evitar fazer tantas afirmações positivas? *Não lhe parece* que deveríamos fazer mais perguntas?", não disse o que eu penso? Mas, ao mesmo tempo, não lhe dei uma impressão mais amável indagando também da sua opinião? Não é verdade que seu ouvinte sentirá dez vezes mais entusiasmo se pensar que a idéia é dele?

Você pode fazer duas coisas com uma pergunta:
1. Fazer o outro conhecer a sua opinião.
2. Dar-lhe ao mesmo tempo o prazer de perguntar pela opinião dele.

Um célebre educador disse-me certa vez: "Uma das maiores coisas que lhe pode dar uma educação superior é a atitude indagadora, o hábito de solicitar e pesar provas... uma abordagem científica dos problemas."

Pois bem, eu nunca tive o privilégio de frequentar uma universidade, mas sei que uma das melhores maneiras de pôr os homens a pensar é fazer-lhes perguntas. Perguntas pertinentes. Na verdade, verifiquei que em muitos casos é o *único* meio de fazê-los pensar!

SEIS VANTAGENS DO MÉTODO DE FAZER PERGUNTAS

1. Ajuda-o a evitar discussões.
2. Serve para evitar que você fale demais.
3. Torna-o capaz de ajudar o outro a descobrir o que eie quer. Então você poderá ajudá-lo a resolver como conseguir aquilo.
4. Ajuda a dar forma definida ao pensamento da outra pessoa. A idéia torna-se idéia *dela*.
5. Ajuda-o a encontrar o ponto mais vulnerável para que o negócio venha a ser fechado — o ponto-chave.
6. Dá à outra pessoa uma sensação de importância. Quando você mostra respeitar a opinião do outro, ele estará mais inclinado a respeitar a sua.

"Uma das maiores coisas que lucrará com uma educação superior é uma atitude indagadora, o hábito de pedir e pesar provas... uma abordagem científica."

10. COMO APRENDI A DESCOBRIR A RAZÃO MAIS IMPORTANTE QUE LEVA OS HOMENS A COMPRAR

UM TEMPO corria uma história acerca de um homem grande e forte que, num clube noturno de Nova York, desafiava as pessoas do auditório a lhe desferirem um murro no estômago, com toda a força. Vários homens tentaram a experiência, inclusive Jack Dempsey, dizia-se, mas o golpe nunca parecia abalar o homem forte. Uma noite, estava no fundo do auditório um sueco enorme e musculoso, que não entendia uma palavra de inglês. Alguém disse que ele era um touro de forte. O mestre de cerimônias dirigiu-se a ele e conseguiu finalmente, por meio de pantomima, fazê-lo entender que desejavam que ele fosse desfechar um golpe no homem forte. O sueco adiantou-se, tirou o paletó e arregaçou as mangas da camisa. O homem forte encheu o peito e preparou-se para o golpe. O sueco desfechou logo um murro poderoso, mas, em lugar de atingir o estômago, o punho gigantesco foi cair em cheio no queixo do homem forte, pondo-o nocaute.

Por ter entendido mal o que devia fazer, aquele bom sueco, sem o saber, havia aplicado uma das regras mais importantes da arte de vender. Escolhera o ponto mais vulnerável e concentrara tudo nesse único ponto — o ponto-chave.

O próprio cliente nem sempre sabe ao certo qual é a sua necessidade mais vital. Tomemos o exemplo de Mr. Booth, o fabricante de sedas de Nova York. Julgava que o ponto capital fosse obter o seguro ao custo mais baixo possível. Ele queria apurar bem essa questão. Os homens das companhias de seguro andavam-lhe à volta dia e noite. Era tal qual todo mundo a esmurrar o estômago do homem forte.

Verifiquei que, com as minhas perguntas, consegui desviar seu pensamento daquilo que ele *julgava* ser o ponto-chave, e dirigi-lo para o que era realmente o ponto mais vital de todos.

A primeira coisa que me lembro de ter lido e que me fez parar e meditar sobre a importância de descobrir o ponto-chave foi uma frase de Lincoln: "Grande parte de meu êxito no tribunal era devido ao fato de eu estar sempre disposto a conceder ao advogado oponente seis pontos a fim de ganhar o sétimo — *se o sétimo fosse o mais importante.*"

O julgamento do caso da Estrada de Ferro de Rock Island, ao qual nos referiremos mais adiante, é um magnífico exemplo de como Lincoln aplicava essa regra. No dia da conclusão do julgamento, o advogado oponente levou duas horas a resumir o caso. Lincoln poderia ter tomado tempo para argumentar sobre diversos pontos apresentados pelo oponente. Mas, não querendo correr o risco de confundir o júri, abriu mão de tudo menos de uma coisa — o ponto-chave. Gastou menos de um minuto para defendê-lo, mas com isso ganhou a causa.

Tenho conversado com milhares de vendedores, e vejo que muitos não dão atenção alguma ao ponto-chave. Ah, sim, já leram a respeito. Mas o que *vem a ser* o ponto-chave? Vamos simplificar. Não é apenas isto:

Qual é a necessidade básica?
ou
Qual é o interesse principal, o ponto mais vulnerável?

Como descobrir o ponto-chave? Estimule o seu cliente a falar. Quando um homem lhe der quatro ou cinco razões por que não quer comprar, e você tentar discutir uma por uma, já perdeu o negócio.

Se você deixar que ele continue a falar, ele o ajudará a realizar o negócio. Por quê? Porque entre as quatro ou cinco coisas haverá uma que é a mais importante, e nesta ele se firmará. Às vezes, não é preciso você dizer uma palavra sequer. Quando ele houver terminado, volte a esse ponto. Geralmente, é o verdadeiro.

Há alguns anos, assisti à conferência nacional dos vendedores em Pittsburgh. William G. Powler, diretor de relações públicas da companhia Chevrolet, contou a seguinte história. "Eu estava para comprar uma casa em Detroit. Chamei um corretor de imóveis. Era um dos corretores mais espertos que já encontrei. Ficou ouvindo enquanto eu falava, e depois de algum tempo descobriu que durante toda a minha vida eu desejara possuir uma árvore. Levou-me de automóvel doze milhas além de Detroit, a uma bonita zona arborizada. Parou diante de uma casa com grande jardim, e disse: "Veja que magníficas árvores, são dezoito!"

"Olhei para aquelas árvores, achei-as lindas, e perguntei-lhe o preço da casa. "Tantos dólares," disse ele. "Ora", disse eu, "deixe-se de brincadeiras, vamos falar a sério." Ele não quis abaixar um centavo. "Que está pensando, homem", disse eu, "posso comprar uma casa igual a esta por muito menos dinheiro." Ele respondeu: "Se pode, melhor para o senhor, mas olhe para estas árvores — uma... duas... três... quatro..."

"Cada vez que eu falava no preço, ele contava as árvores. Para encurtar a história, vendeu-me as dezoito árvores... e a casa de lambujem!"

"Isto é que é arte de vender. Ficou ouvindo até descobrir o que eu queria e depois m'o vendeu."

Perdi muitos negócios deixando que o cliente me bombardeasse com mil argumentos e tentando responder a todos. Daí a pouco acontecia tocar o telefone e ele me dizia: "Não vou resolver por enquanto." Gradativamente, tentando e errando, verifiquei que o certo é concordar com tudo que o cliente diz até descobrir qual a *verdadeira* razão por que não quer comprar.

Muitos clientes tentam despistar-nos. Nos dois capítulos seguintes mostrarei como emprego duas perguntinhas simples para determinar se uma objeção é ou não verdadeira, e um método que achei muito eficiente para trazer à luz o motivo oculto.

RESUMO

O problema principal da venda é

1. Descobrir a necessidade básica, ou

2. O ponto principal de interesse.

3. Então, concentrar tudo nele!

11. A PALAVRA QUE ACHO MAIS IMPORTANTE PARA O VENDEDOR TEM APENAS SEIS LETRAS

A PALAVRA mais importante em qualquer língua é, a meu ver, a pequena palavra *por quê* — mas levei anos a tropeçar até descobri-lo. Antes de aprender a importância dessa pequena pergunta de uma só palavra, sempre que alguém me apresentava uma objeção eu imediatamente passava a discutir o ponto.

Foi num dia em que um amigo me telefonou para convidar-me a almoçar com ele que eu pude realmente avaliar o poder dessa miraculosa palavra. Esse meu amigo chama-se James C. Walker, e é presidente e sócio principal da Gibson-Walker Lumber Company, companhia madeireira sedeada em Filadélfia. Encomendado o almoço, Jim disse: "Frank, agora vou lhe dizer por que queria falar com você. Outro dia, fui a Skyland, Virgínia, numa excursão com amigos. Foi muito divertida. De noite dormíamos todos em catres numa grande cabana de um só cômodo. Já sabe o que aconteceu na primeira noite. Em lugar de dormirmos logo, ficamos a conversar sobre toda sorte de coisas. Depois, um por um foi pegando no sono até que, por fim, fiquei eu falando sozinho. Cada vez que eu parava o camarada que estava ao meu lado dizia: "Por quê, Jim? Por quê?" — E como um tolo eu continuava, entrava em mais pormenores, *até ele acabar roncando*. Aí vi que ele quis experimentar até quando eu era capaz de falar!"

Ri-me com ele.

Depois Jim continuou: "Naquele momento, lembrei-me de repente que fora desse modo que eu comprara meu primeiro seguro de vida. Não sei se você sabia o que estava fazendo, Frank, mas na primeira vez em que você me procurou, eu lhe disse que ia lhe dizer o que dizia a todos os vendedores de seguro que me procuravam: "Não me interesso por seguros de vida."

"Em vez de lançar-se numa longa argumentação, como faziam os outros, você apenas perguntou: "Por quê?" Quando comecei a explicar, você me fez continuar por muito tempo repetindo sempre, "Por quê, Sr. Walker?" Quanto mais eu falava, mais me convencia de que eu estava errado. Você não me vendeu o seguro. Fui eu quem o vendeu a mim mesmo. Mas nunca soube bem como foi até aquela noite em que falei demais na cabana de Skyland.

"Agora, Frank, a razão da história é esta: Desde que voltei, sentado no meu escritório, tenho vendido mais madeira, pelo telefone, do que já vendi até então, fazendo nada mais do que perguntar: "Por quê?" Por isso queria que você soubesse, caso não o saiba ainda, como foi que me vendeu a primeira apólice."

Jim Walker é um dos comerciantes de madeira mais importante de Filadélfia, e um homem muito ocupado. Sempre lhe fui grato por me chamar de lado para me fazer compreender a importância dessa palavrinha "porquê."

Verifiquei com surpresa que muitos vendedores têm receio de usá-la.

Contei esta história em nossos cursos alguns anos atrás, e ouvi vendedores, bem como pessoas em outros ramos de atividade de todo o país, contarem-me depois como haviam

91

começado a usar o "porquê" em seguida e como isso os tinha ajudado. Tomemos apenas um exemplo. Em Tampa, Flórida, um agente vendedor de maquinaria levantou-se uma noite na aula e disse: "Quando ouvi a palestra de Mr. Bettger sobre o "porquê", na noite passada, pensei que não teria coragem de usá-lo. Mas hoje de manhã entrou um homem lá na firma e perguntou o preço de uma máquina. Disse-lhe que custava 27.000 dólares. Ele disse: "É muito caro para mim." Eu perguntei: "Por quê?" "Porque nunca me compensaria o gasto." Respondeu ele. "Por quê?" tornei a dizer. "Acha então que sim?" perguntou francamente. "Por que não? Tem sido um excelente investimento para todos que a compraram", repliquei. "É muito dinheiro para mim", disse ele. "Por quê?" perguntei. Cada vez que ele apresentava uma objeção, eu perguntava "por quê." "Estendeu-se então sobre as suas razões. Deixei-o falar. Falou o bastante para compreender que suas razões que tinham sentido. E por isso comprou a máquina. Foi uma das vendas mais rápidas que já fiz. Sei, porém, que não o teria conseguido se lhe tivesse vindo com a arenga habitual do vendedor."

Ouçam esta: O finado Milton S. Hershey, que costumava empurrar um carrinho de doces pelas ruas e mais tarde ganhou milhões com barras de chocolate, julgava o "porquê" tão importante que lhe dedicou toda a vida! Parece fantástico, não parece? Mas vejam como aconteceu. Milton S. Hershey havia tido três fracassos antes dos quarenta anos. "Por quê?", perguntava a si mesmo. "Por que é que outros homens são bem sucedidos e eu não?" Submetendo-se a si mesmo a um longo interrogatório, acabou por reduzir a resposta a uma única razão: "Eu estava agindo sem conhecer todos os fatos." Desse dia até sua morte aos oitenta e oito anos, toda a sua vida foi dedicada à filosofia de perguntar *"Por quê?"* Quando alguém lhe dizia: "Não pode ser, Sr. Hershey", ele dizia. "Por quê? Por que não?" *E continuava a perguntar por* quê até ficar conhecendo todas as razões. Depois costumava dizer: "Agora um de nós dois tem de encontrar a solução."

Muito bem! Não é isso exatamente que J. Elliott Hall de Nova York descobriu de errado em seu método de vender? Agia sem ter conhecimento de todos os fatos. Esta é parte da grande lição que dele aprendi.

No capítulo seguinte, apresentarei duas entrevistas reais a fim de ilustrar como o *"porque"* me ajuda a conhecer os fatos. E também como uso o *"porque"* ligado a uma outra pequena frase muito comum que produz resultados surpreendentes.

12. COMO DESCOBRIR A OBJEÇÃO OCULTA

EM CERTA época mantive um registro de mais de cinco mil entrevistas a fim de procurar saber por que as pessoas compram, ou deixam de comprar. Em 62 por cento dos casos, a objeção inicialmente levantada contra a compra não era a razão verdadeira. Verifiquei que apenas 38 por cento das pessoas entrevistadas me davam o motivo real por que não queriam comprar.

Qual a razão disso? Por que é que pessoas de peso, perfeitamente honestas e sinceras sob todos os outros aspectos, procuram mascarar os fatos na presença de vendedores? Isto é uma coisa que levei muito tempo para compreender.

O finado J. Pierpont Morgan, Sr., um dos homens de negócio mais argutos em toda a história, disse uma vez: "Um homem, geralmente, tem duas razões para fazer uma coisa — uma que soa bem, e a *verdadeira*." Aqueles registros que mantive durante vários anos deram-me a prova segura da verdade dessa afirmação. Comecei então a fazer experiências para encontrar um meio de determinar se a razão alegada era real ou apenas para causar efeito. Finalmente descobri uma pequena frase que produziu resultados surpreendentes e que me tem valido literalmente milhares de dólares. É uma frase das mais corriqueiras, e é por isso que é boa. Essa frase é a seguinte: "E, além disso..." Deixem-me ilustrar como é que a uso.

Por vários anos eu tinha procurado vender apólices de seguro a uma grande firma que manufaturava tapetes, e que era dirigida pelos três donos. Dois destes eram a favor da idéia, mas o terceiro se opunha. Era velho e um tanto surdo. Toda vez que eu lhe falava sobre o assunto seu ouvido parecia piorar e ele não entendia palavra do que eu dizia.

Um dia, quando tomava o café da manhã, li no jornal a notícia de seu falecimento repentino.

Naturalmente, minha primeira idéia depois de ler a notícia foi: "Agora estou com o negócio fechado!"

Dias depois, telefonei ao presidente da companhia e marquei uma entrevista. Eu havia anteriormente feito alguns negócios com ele. Quando cheguei à fábrica e entrei no seu escritório, notei que sua fisionomia não parecia tão amável como de costume.

Sentei-me. Ele olhou para mim. Eu olhei para ele. Finalmente ele disse: "Veio aqui para nos falar sobre o seguro, não é?"

Eu apenas abri um largo sorriso.

Ele não sorriu nem um pouco, e disse: "Sabe, resolvemos nada fazer a esse respeito."

"Por quê?" perguntei.

"Bem, apenas resolvemos não fazer seguro."

"Será que você não me poderia dizer *por quê*, Bob?"

"Porque", explicou ele, "estamos trabalhando com prejuízo. Já andamos mal o ano todo. Para fazer esse seguro teríamos de pagar cerca de oito ou dez mil dólares por ano, não é mesmo?"

"Sim", concordei.

"Bem", continuou ele, "resolvemos não gastar mais dinheiro do que o absolutamente *necessário* enquanto não soubermos até quando vai durar isto."

Após alguns minutos de silêncio eu disse: "Bob, além disso, não haverá alguma outra coisa que o preocupa? Não haverá alguma outra razão que o faz hesitar em realizar esse plano?"

BOB (*com um pequeno sorriso a brotar-lhe na fisionomia séria.*) Bem, sim, há mais alguma coisa.

EU. Você não pode me dizer o que é?

BOB. São aqueles dois meninos, meus filhos. Terminaram o curso na universidade e estão trabalhando aqui comigo. Trabalhando na fábrica, de macacão, todos os dias das oito às cinco, e adorando isso! Você não há de pensar que eu sou bastante tolo para entrar num plano que fará com que eles percam a sociedade no caso de minha morte, não? Onde ficariam meus meninos? Poderiam ser despachados — não é mesmo?

Aí estava. A primeira objeção era apenas o que *soava* bem. Agora que eu conhecia a *verdadeira* razão, eu entrevia uma oportunidade. Pude fazê-lo ver que então era ainda mais importante fazer alguma coisa já. Elaboramos um plano que incluía os seus filhos. Um plano que tornava a situação deles segura, independente de quem morresse primeiro, e quando.

Só aquele negócio representou para mim um lucro de 3.860 dólares.

Por que fiz a esse homem aquela pergunta? Porque duvidava de sua palavra? Nada disso. Sua primeira objeção foi tão lógica e real, que eu não podia ter dúvidas. Acreditei. Mas anos de experiência haviam-me ensinado que era quase certo haver algo mais naquele conjunto de circunstâncias. Meus registros o provaram. Assim, tornou-se um hábito para mim fazer aquela pergunta em qualquer caso, como medida de rotina para comprovar a técnica. Não me lembro de alguém jamais haver mostrado ressentimento por eu perguntar. Quando verifico que a objeção apresentada é o motivo *real* que é que faço? Darei um exemplo. Eu estava almoçando um dia na Union

League em Filadélfia, com dois amigos, Neale Mac Neill Jr., gerente de vendas da Companhia Química Sandoz de Filadélfia, e Frank R. Davis, corretor de imóveis de Filadélfia. Neale disse: "Frank e eu temos um bom cliente para você. Don Lindsay estava nos dizendo ontem que pretendia fazer um seguro. Está ganhando muito dinheiro, e acho que você poderia vender-lhe uns cinqüenta ou cem mil de apólices, não é mesmo, Frank?"

Frank Davis parecia entusiasmado com o tal cliente que me propunham. Aconselhou-me a ir procurá-lo logo na manhã seguinte, e disse: "Não se esqueça de dizer a Don que foi mandado por Neale e por mim."

Às dez horas do dia seguinte, eu entrava na fábrica da rua 54 e Avenida Paschal, em Filadélfia, aparelhos elétricos. Disse à secretária que Mr. MacNeill e Mr. Davis me haviam enviado para ver Mr. Lindsay.

Quando entrei no seu escritório, ele estava de pé a um canto com uma expressão no rosto que me fez lembrar o rito de Jack Dempsey um momento antes de soar o gongo para o primeiro "round."

Esperei, mas ele não estava disposto a falar. Eu disse então: "Sr. Lindsay, Neale MacNeill e Frank Davis mandaram-me aqui para vê-lo. Disseram que deseja fazer um seguro de vida."

"Que bobagem é essa?" gritou Lindsay com uma voz que devia ter sido ouvida lá na Avenida Paschall. "O Sr. é o *quinto* vendedor de apólices que eles me mandam aqui nestes dois dias. Acham por acaso que isso é engraçado?"

Uma surpresa e tanto! Quase que eu achava graça mesmo, mas os olhos do homem chispavam fogo. Finalmente eu disse: "O que foi que o Sr. disse a Neale e Frank para deduzirem que pretendia fazer um seguro de vida?"

Ele, ainda aos gritos: "Disse-lhes que nunca tinha feito seguro em minha vida! Não me interesso por seguros de vida!"

"O Sr. é um grande homem de negócios, Sr. Lindsay", disse eu. "Deve ter alguma razão muito boa para não querer fazer seguro de vida. Se não fosse indiscrição, eu gostaria de saber a razão."

"Pois não, vou lhe dizer por que é" (O tom de voz abaixou consideravelmente) "Tenho todo o dinheiro de que preciso, e, se alguma coisa me acontecer, minha mulher e minhas filhas terão quanto dinheiro precisarem."

Fiquei calado enquanto meditava sobre o que ele havia dito. Depois disse: "Sr. Lindsay, *além disso*, não haverá alguma outra razão por que nunca fez seguro de vida?"

ELE. Não, essa é a única razão. Não acha que é suficiente?

EU. Posso fazer-lhe uma pergunta de ordem pessoal?

ELE. Vamos lá.

EU. O Sr. deve algum dinheiro?

ELE. Não devo um centavo a quem quer que seja!

EU. Se o Sr. devesse muito dinheiro, pensaria em fazer um seguro para resgatar a dívida quando morresse?

ELE. Talvez.

EU. Já lhe ocorreu que, se o Sr. morresse hoje, Tio Sam automaticamente lançaria uma grande dívida sobre as suas propriedades?

Nesse dia o Sr. Lindsay fez o primeiro seguro em sua vida.

No dia seguinte, tornei a encontrar MacNeill e Davis ao almoço. Quando lhes contei que o Sr. Lindsay havia feito o seguro, mostraram a maior surpresa do mundo. Por algum tempo nem quiseram acreditar. Mas, quando se convenceram de que eu não estava brincando, acharam a história formidável.

A frase: "Além disso, não haverá alguma outra coisa que o preocupa?" muitas vezes requer um pouco mais de insistência para que a outra pessoa se decida a falar. Para ilustrar, contarei um caso fora do comum. Estava eu em Orlando, Flórida, quando um dia, de manhã, um jovem vendedor veio ver-me no hotel, a respeito de um problema sério. Cerca de dois anos atrás, a sua firma, uma companhia de produtos químicos de Nova York, havia inexplicavelmente perdido seus maiores clientes na Flórida, e nunca conseguiram descobrir o motivo. Tentaram tudo para reatar as relações. Um dos vice-presidentes da companhia tinha vindo de Nova York, mas também falhara em suas tentativas.

"Quando entrei para a companhia um ano atrás", explicou-me o vendedor, que me causava ótima impressão, "encareceram-me a importância de reaver aqueles clientes. Procurei essa gente regularmente durante todo o ano, e, para mim, o caso é perdido."

Fiz-lhe várias perguntas acerca de suas entrevistas com aqueles clientes, especialmente as mais recentes.

"Hoje de manhã mesmo", disse ele, "estive lá outra vez. Falei com o presidente, Sr. Jones, mais foi a mesma coisa. Não tomou conhecimento. Ficou sentado ali, com ar de enfado. Quando parei de falar, houve um longo silêncio e, finalmente, levantei-me desconcertado e saí."

Sugeri que ele voltasse lá naquela mesma tarde e dissesse ao Sr. Jones que recebera ordens de sua firma para voltar imediatamente. O vendedor e eu resolvemos exatamente o que ele devia dizer. Fiz com que ele ainda me repetisse tudo antes de sair.

No fim da tarde ele me telefonou tão excitado que mal podia falar: "Posso ir vê-lo já? Tenho um *pedido* do Sr. Jones! E creio que todo o mal-entendido está se esclarecendo. Nosso agente de Atlanta virá para cá de avião ainda esta noite!"

Parecia inacreditável. Acho que eu estava tão excitado quanto ele, e respondi: "Venha imediatamente e conte-me tudo."

Eis o relato da entrevista:

"Agora parece tudo tão simples, que nem posso acreditar. Quando entrei no escritório do Sr. Jones, ele me olhou com surpresa."

VENDEDOR. Sr. Jones, depois de vê-lo esta manhã, recebi ordem de meu escritório de Nova York para procurá-lo imediatamente e indagar de todos os fatos — exatamente *por que* os srs. cortaram relações conosco. A firma está segura de que o Sr. deve ter alguma boa razão; alguém de nossa organização deve ter cometido algum engano. O Sr. não quer me fazer a gentileza de dizer o que foi, Sr. Jones?

JONES. Já lh'o disse. Resolvi experimentar outra empresa, que achei perfeitamente satisfatória e não quero mudar.

VENDEDOR (*após alguns momentos de silêncio.*) Sr. Jones, além disso, não haverá alguma outra razão? Não haverá alguma outra coisa em seu pensamento?

(Não há resposta).

VENDEDOR. Se houver alguma coisa, e o Sr. me contar o que é, e nós não formos capazes de esclarecê-lo, o Sr. se sentirá melhor por nos ter dado a oportunidade. Se pudermos provar, sem que lhe reste a menor sombra de dúvida, que foi um erro não intencional ou engano, o Sr. se sentirá melhor por nos dar a oportunidade de corrigir o erro. Não é verdade, Sr. Jones?

(*A mesma cousa de sempre. O Sr. Jones ficou sentado a olhar pela janela. Mas, desta vez, eu fiquei quieto, esperando. Parecia um tempo enorme, mas finalmente ele começou a falar.*)

"Muito bem, já que quer saber, sua companhia deixou de nos dar um desconto especial sem nos avisar. Logo que o descobri, cortei os pedidos!"

Aí estava a *verdadeira* razão.

Eis o que aconteceu: Aquele dinâmico rapaz não perdeu tempo. Agradeceu muito ao Sr. Jones pela informação, correu imediatamente ao telefone público mais próximo e chamou o escritório de Atlanta. Estes foram verificar seus arquivos e depois chamaram o escritório de Nova York. A comparação dos registros mostrou que o Sr. Jones tinha razões para acreditar que seu desconto havia sido suspenso, embora na realidade não o fora. O vendedor recebeu instruções para voltar imediatamente ao escritório do cliente. Quando lá chegou, Jones já havia sido convencido pelo telefone da realidade dos fatos. O agente de Atlanta assumira toda a responsabilidade pela omissão de notificar o Sr. Jones do novo método de faturar numa base líquida.

Hesitei muito tempo antes de decidir tornar pública esta pequena fórmula. Receava que fosse considerada um truque. E eu não acredito em truques. Não funcionam — já os tentei. E estou satisfeito por terem falhado porque, com o correr do tempo, truques acabam dando mau resultado em qualquer negócio. A honestidade é ainda a a qualidade fundamental e insubstituível para todos os momentos!

RESUMO

Tenham sempre em mente estas sábias palavras de J. Pierpont Morgan: "Um homem tem geralmente duas razões para fazer qualquer coisa: uma que lhe parece boa, e a *verdadeira*."
A melhor fórmula que encontrei para descobrir a *verdadeira* compõe-se destas duas perguntinhas:
"Por quê?" e "Além disso...?"

13. ARTE ESQUECIDA QUE É MÁGICA NA PROFISSÃO DE VENDEDOR

Há poucos anos, fiz com Dale Carnegie uma excursão de seis meses, de costa a costa, realizando conferências. Dirigimo-nos a auditórios de várias centenas de pessoas cinco noites por semana — pessoas desejosas de se aperfeiçoarem na habilidade de tratar com os outros; pessoas das mais variadas ocupações: taquígrafos, professores, gerentes, artesãos, advogados, vendedores.

Eu nunca antes havia feito conferências em excursão e foi a experiência mais sensacional de minha vida. Quando voltei para casa, estava ansioso por fazer duas coisas: recomeçar a vender e, naturalmente, contar a todo mundo as minhas experiências sensacionais.

O primeiro cliente que visitei foi o presidente de uma empresa de laticínios por atacado e a varejo. Eu já havia antes feito bons negócios com ele. Parecia sinceramente satisfeito por me ver. Quando me sentei, ofereceu-me um cigarro e disse: "Frank, conte-me da sua viagem."

"Pois não, Jim", repliquei, "mas primeiro, quero saber a seu respeito. Que tem feito? Como vai Mary? E como andam os negócios?"

Escutei com interesse o que contou sobre os negócios e a família. Depois começou a falar numa partida de pôquer em que tinha estado com a mulher na noite anterior. Tinham jogado "Cachorro Vermelho." Eu nunca ouvira falar em "Cachorro Vermelho", e a essa altura teria preferido contar-lhe da minha excursão e fazer um pouco de farol. Mas fiquei firme e ri com ele enquanto explicava como se joga o jogo e como é divertido.

Ele parecia estar na melhor das disposições e, quando me levantei para sair, disse: "Frank, estivemos pensando em segurar o superintendente de nossa indústria. Quanto custaria um seguro de vida de 25.000 dólares?"

Afinal eu nem tive oportunidade de falar de mim mesmo, mas saí com um pedido apreciável, para o qual algum outro vendedor tomara a iniciativa, mas provavelmente perdera o negócio falando demais.

Isto me ensinou uma lição que eu tive de aprender: *a importância de ser um bom ouvinte,* mostrando ao outro que está sinceramente interessado no que ele está dizendo, dando-lhe toda a atenção que ele sempre deseja, mas tão raramente consegue!

Procure olhar seu interlocutor bem de frente, com toda a atenção e interesse (mesmo que seja sua própria esposa), e observe como é mágico o efeito, tanto sobre a pessoa que está falando como sobre você mesmo. Nada há de novo nisso. Já Cícero, há 2.000 anos disse: "Há no silêncio uma arte e uma eloqüência também." Mas ouvir tornou-se uma arte esquecida. Os bons ouvintes são raros.

Uma grande organização nacional enviou recentemente esta mensagem especial a todos os seus vendedores:

> Na próxima vez em que for ao cinema, observe como os atores prestam ouvido à fala dos outros intérpretes. Para ser um grande ator, é necessário ser mestre na arte de ouvir, tanto

como na de falar. As palavras de quem fala são refletidas no rosto do ouvinte como num espelho. Este poderá roubar uma cena ao ator que fala só pela maneira de ouvir. Um grande diretor de cinema já disse que muitos atores não chegam a se tornarem astros porque não aprenderam a arte de ouvir "com arte."

Será que a arte de ouvir se aplica somente a vendedores e atores? Não será ela de magna importância para todos nós, seja qual for a nossa atividade? Já lhes aconteceu sentirem, quando falam a alguém, que o que estão dizendo não causa grande impressão? Verifiquei muitas vezes que as pessoas me ouviam muito bem, mas não estavam prestando atenção. O efeito do que eu dizia era nulo, absolutamente nulo. Então eu disse a mim mesmo: "Da próxima vez que isso acontecer, pare! Pare no meio da sentença!" Às vezes, eu paro até no meio de uma palavra.

Observo que as pessoas o consideram uma cortesia. Nunca ficam ofendidas. Nove vezes em dez têm alguma coisa na cabeça que gostariam de dizer. E, neste caso, não prestarão mesmo atenção ao que estivermos dizendo enquanto não encontrarem jeito de externar suas idéias.

Por exemplo, um dos nossos vendedores (a quem chamaremos Al) levou-me para entrevistar o agora falecido Francis O'Neill, grande fabricante de papel. O Sr. O'Neill começou como vendedor de papel, depois estabeleceu-se por conta própria e, com seu trabalho árduo e perseverante, construiu uma das indústrias de papel mais importantes do país, a Paper Manufacturers Company de Filadélfia. Era um dos homens de mais alto conceito no seu ramo. Tinha também fama de ser homem de poucas palavras.

Após a apresentação, o Sr. O'Neill convidou-nos a sentar. Comecei a falar nos impostos em relação à sua indústria, mas ele nem sequer levantou os olhos para mim. Eu não lhe podia ver o rosto, via apenas o alto de sua cabeça enquanto ele olhava para algum ponto embaixo da mesa. Não havia indício algum de que ele estivesse me ouvindo. Depois de uns três minutos eu parei bruscamente no meio de uma sentença! Seguiu-se um silêncio que parecia embaraçoso. Eu me recostei comodamente na cadeira e esperei.

Al não suportou aquilo mais do que um minuto. Começou a remexer-se nervosamente na cadeira, receoso de que me tivesse faltado a coragem em presença daquele homem importante. Ele precisava salvar a situação, e começou então a falar. Se eu tivesse podido alcançá-lo debaixo da mesa, ter-lhe-ia dado uma boa canelada! Fixando-o persistentemente até que olhasse para mim, fiz-lhe sinal com a cabeça para que parasse. Felizmente Al entendeu e parou instantaneamente.

Seguiu-se outro intervalo de silêncio incômodo, mais um minuto inteiro. (Parecia muito mais.) Finalmente, erguendo ligeiramente a cabeça, o industrial lançou-me um olhar. Viu que eu estava inteiramente à vontade e evidentemente esperando que ele dissesse alguma coisa.

Olhamos um para o outro, em expectativa. (Al disse-me depois que nunca vira coisa semelhante. Não podia compreender o que se passava.) Finalmente o Sr. O'Neill quebrou o silêncio. Sei por experiência que, se a gente espera o tempo suficiente, o outro *sempre* quebrará o silêncio. O'Neill era habitualmente de poucas palavras, mas falou então com seriedade durante quase meia hora. Enquanto se mostrou inclinado a falar, estimulei-o a continuar.

Quando terminou, eu disse: "Sr. O'Neill, o senhor acaba de dar-me informações importantes. Vejo que tem pensado nesse assunto muito mais do que a maioria dos homens de negócio. O Sr. tem tido muito êxito, e eu não seria presunçoso a ponto de julgar que poderia chegar e em dois minutos apresentar-lhe a solução de um problema que o Sr. vem tentando resolver há dois anos. Entretanto, gostaria de dedicar algum tempo a estudá-lo melhor. Talvez eu possa voltar com algumas idéias que lhe sejam úteis."

O que a princípio parecia uma entrevista malograda terminou muito bem. Por quê? Simplesmente porque consegui fazer aquele homem falar nos seus problemas. Enquanto eu ouvia, ele me deu indícios valiosos sobre as suas necessidades. Algumas poucas perguntas discretas deram-me a chave de toda a situação, mostraram-me o objetivo por ele visado. Este caso desenvolveu-se subseqüentemente numa grande cadeia de negócios.

Todos nós aproveitaríamos muito se pronunciássemos todas as manhãs esta oração: "Ó Deus, ajudai-me a calar a boca até que eu saiba o que dizer... Amém."

Muitas vezes eu gostaria de me ter esmurrado por continuar a falar e falar, quando eu deveria ter reparado que o homem não estava ouvindo, mas eu estava tão imbuído daquilo que dizia que levava tempo demais para me entrar na cabeça que ele não prestava a menor atenção.

Acontece muitas vezes que uma torrente de pensamentos passa pela mente de um homem e, se não lhe dermos a oportunidade de falar, não teremos meios de saber o que está pensando.

A experiência ensinou-me que é uma boa regra deixar o outro falar liberalmente durante a primeira metade da entrevista. Quando depois tomo a palavra estou mais seguro dos fatos e tenho maior probabilidade de encontrar um ouvido atento.

Todos nós detestamos que o outro, com ar superior de quem já sabe o que vamos dizer, nos interrompa antes que tenhamos terminado, a fim de nos dar uma demonstração de sua acuidade de espírito. Todos conhecem este tipo; enche a boca antes que o cérebro transborde, explica-nos onde e por que estamos errados e nos liquida antes que possamos sequer expor com clareza nossas idéias. A esta altura, a gente sente vontade é de liquidar com *ele* — com um bom direto no queixo!

Mesmo que ele *tenha razão*, detestamos admiti-lo, e, se ele for um vendedor, às vezes recorreremos até à mentira a fim de nos livrarmos do gênio, e preferimos andar léguas para comprar a mesma coisa, mesmo pagando mais caro.

Quando jovem, Benjamin Franklin era presunçoso e queria sempre ter a última palavra, insistindo em demonstrar aos outros que estavam errados, até que toda gente começasse a evitá-lo. Um Quaker amigo acabou por informá-lo gentilmente desse seu erro imperdoável e conseguiu convencer a Ben citando-lhe vários exemplos. Mais de meio século depois, aos setenta e nove anos de idade, Franklin escreveu as seguintes palavras em sua famosa autobiografia:

> Considerando que na conversação o conhecimento é adquirido antes pelo uso dos ouvidos do que pelo da *língua,* dei ao *Silêncio o segundo lugar entre* as virtudes que resolvi cultivar.

E você? Acontece-lhe às vezes apanhar-se em flagrante de meditar sobre o que irá dizer, em lugar de ouvir atentamente? Verifiquei que, sempre que não ouvia com atenção, confundia os fatos, perdia de vista o essencial e freqüentemente tirava conclusões errôneas.

Sim, é bem verdade que muitas vezes as pessoas ficam tão lisonjeadas com a nossa perfeita atenção e manifesto interesse pelo que têm a dizer, que se entusiasmam só com isso e nos deixam exaustos. Por exemplo, um dos nossos vendedores deu-me a oportunidade de entrevistar George J. DeArmond, importante atacadista de tapeçarias de Filadélfia. A entrevista estava marcada para as onze horas da manhã. Seis horas mais tarde, John e eu saímos cambaleando do escritório do comerciante e caímos num café a fim de aliviarmos nossa dor de cabeça. Era de ver que John estava desapontado com o meu desempenho de vendedor, isto é, com a minha participação na conversa. Seria exagero dizer que durara cinco minutos. A segunda entrevista, tivemos o cuidado de marcá-la para *depois* do almoço. Essa "conferência" principiou às duas horas e, se o motorista do nosso cliente não tivesse apontado às seis horas para nossa salvação, é bem possível que ainda estivéssemos lá!

Mais tarde, calculamos que tinha havido de nossa parte cerca de meia hora de conversa sobre a venda e nove horas gastas em ouvir a fascinante história da vida de negócios do velho. E realmente *foi* fascinante e inspirador ouvi-lo contar como, a partir do nada, desenvolveu-se, atravessou crises, sofreu um abalo nervoso aos cinqüenta, formou uma sociedade para ser logrado pelo sócio, e como finalmente lançou as bases para um dos melhores comércios atacadistas do Oeste. Talvez por muitos anos aquele homem não tivesse tido a oportunidade de encontrar alguém que se prestasse a ouvi-lo contar a sua história do começo até o fim. E parecia *sedento* por uma oportunidade como aquela. Ficou excitado com as recordações e algumas vezes emocionado.

Evidentemente, a maioria das pessoas prestava-lhe a língua, em lugar dos ouvidos. Nós simplesmente invertemos esse processo e tivemos ampla recompensa. Seguramos a vida de seu filho, de cinqüenta anos de idade, J. Keyser DeArmond, em 100.000 dólares para proteção de seu negócio.

O Dr. Joseph Fort Newton, célebre pregador, escritor e colunista de jornais disse-me certa vez: "Os vendedores precisam ouvir, tal como os pregadores. Um dos meus principais deveres é ouvir vidas humanas."

"Não faz muito tempo," contou o Dr. Newton, "tive no meu escritório uma mulher que falava precipitadamente. Era muito surda e mal podia ouvir uma ou outra palavra

109

que eu dizia. A história que contava era lamentável, de dar pena, e contou-a com todas as minúcias. Raramente eu ouvira uma história mais triste do que aquela que lhe brotava do coração atribulado.

"O senhor ajudou-me tanto," terminou por dizer. "Não podia deixar de contar a alguém, e o Sr. teve a bondade de ouvir-me e manifestar simpatia."

"Entretanto," continuou o Dr. Newton, "eu quase nada dissera e duvido que ela tivesse ouvido alguma de minhas palavras. De qualquer modo, eu havia compartilhado a sua tristeza e solidão, e isso lhe tornara mais leve o fardo. Deixou-me com o mais doce dos sorrisos."

Dorothy Dix, uma das colunistas mais lidas do mundo, tinha razão quando escreveu: "A linha reta para a popularidade é prestar ouvidos a toda gente, em lugar de falar. Não há coisa alguma que se possa dizer a um indivíduo e que o interesse sequer a metade do que lhe interessam as coisas que ele está sequioso por nos contar sobre si mesmo. E tudo que se tem de fazer para ganhar a fama de ser uma companhia encantadora é dizer: "Que esplêndido! Conte-me mais alguma coisa."

Eu não me preocupo mais com ser um conversador brilhante. Contento-me com ser um bom ouvinte. Tenho notado que tais pessoas são geralmente bem recebidas onde quer que apareçam.

RESUMO

SEGUNDA PARTE

LEMBRETES

1. O segredo mais importante do vendedor é descobrir o que deseja o outro, e então ajudá-lo a encontrar a melhor maneira de obtê-lo.

2. Se quiser acertar no alvo, lembre-se do sábio conselho de Dale Carnegie: "Existe só um meio de conseguir que alguém faça alguma coisa. Um único meio. É fazer com que queira fazê-lo. Lembre-se, não há outro meio" *Quando se mostra a alguém o que é que ele quer, moverá céus e terras para consegui-lo.*

3. Cultive a arte de fazer perguntas: Perguntas, mais do que afirmações positivas, podem ser o meio mais eficiente de realizar um negócio ou convencer os outros a aceitarem a sua opinião. Indague em vez de atacar.

4. Descubra o ponto-chave, o ponto mais vulnerável, e atenha-se a ele.

5. Aprenda a usar a palavra mais importante para o vendedor, aquela poderosa perguntinha de uma só palavra, "Por quê?" Lembre-se, Milton S. Hershey, que fracassou três vezes antes dos quarenta, achou essa palavra tão importante nos negócios que lhe consagrou a sua vida

6. A fim de descobrir a objeção oculta, a razão *verdadeira*, lembre-se do que disse J. Pierpont Morgan: "Um homem tem geralmente duas razões para fazer qualquer coisa — uma que soa bem, e a *verdadeira*." As probabilidades são de duas contra uma de que há alguma coisa mais além da razão alegada. Faça duas perguntinhas: "Por quê" e "Além disso...?" Experimente usá-las por uma semana. Ficará surpreendido com seus resultados no afastamento de objeções.

7. Lembre-se da arte esquecida que é de efeito mágico na profissão do vendedor. Seja um bom ouvinte. Mostre à outra pessoa que está sinceramente interessado no que tem a dizer, dê-lhe toda a atenção e simpatia que todo mundo anseia por obter mas tão raramente obtém. É um dos princípios mais importantes da fórmula para o êxito nas vendas. Sim, é de efeito mágico!

Terceira Parte

SEIS MANEIRAS DE CONQUISTAR E CONSERVAR A CONFIANÇA DOS OUTROS

14. A MAIOR LIÇÃO QUE APRENDI SOBRE A MANEIRA DE INSPIRAR CONFIANÇA

QUANDO me iniciei no ramo das vendas, tive a sorte de ser colocado sob a supervisão de Karl Collings, que durante quarenta anos fora um dos vendedores-chefes de sua companhia.

A maior vantagem de Mr. Collings era a sua notável habilidade de inspirar confiança aos outros. Assim que começava a falar, a gente sentia: "Aí está um homem em quem posso confiar; conhece o seu negócio e pode-se contar com ele." Notei isso na primeira vez em que o encontrei. Um dia vim a saber a razão.

Um prospectivo cliente dos mais promissores havia-me dito que voltasse no princípio do mês, que então talvez pudéssemos fazer algum negócio, mas eu tinha receio de voltar. Na verdade, eu estava tão desanimado naquela época que pensava todos os dias em abandonar a profissão. Perguntei então ao Sr. Collings se não queria ir comigo procurar aquele homem. Lançou-me aquele olhar perscrutador que me adivinhava os pensamentos e disse: "Claro, vamos lá."

Pois bem, realizou a venda com uma facilidade surpreendente. Fiquei todo alvoroçado. Calculei a minha comissão. Seria de 259 dólares — e eu a fugir dos cobradores de contas! Mas alguns dias depois veio a má notícia. Devido a um defeito físico, o contrato foi "modificado".

"Será preciso dizer ao homem que não é o contrato padrão?" argumentei. "Ele não saberá, se não lh'o contarmos, não é mesmo?"

"Não, mas *eu* o saberei. E *você* o saberá," respondeu Collings tranqüilamente.

Logo mais estávamos sentados diante do cliente no seu escritório.

Mr. Collings começou: "Eu poderia dizer-lhe que esta apólice é a forma padrão e o Sr. nunca perceberia a diferença, mas não é." Mostrou então ao homem a diferença. "Entretanto," continuou Collings, olhando-o bem de frente, "acredito que este contrato lhe dará toda a proteção de que necessita e gostaria que lhe desse a melhor consideração."

Sem a menor hesitação o homem disse: "Fico com ele," e preencheu imediatamente um cheque em pagamento da primeira anuidade.

Observando Karl Collings durante essa entrevista compreendi *por que* as pessoas acreditavam nele, por que nele depositavam tão prontamente a sua completa confiança. Aquela entrevista ajudou-me mais do que todos os sermões que ele me pudesse ter prodigalizado. Ele merecia confiança! Isso se via em seus olhos.

"Não — mas *eu* o saberei," provou ser a chave do verdadeiro caráter de Karl. A profunda significação que encerravam aquelas palavras tão simples, nunca a pude esquecer. Minha maior fonte de coragem, sempre que as coisas estiveram sombrias, tem sido a fé naquela filosofia tão sábia quanto simples: Não — Se *o outro* vai acreditar. O verdadeiro teste é acreditar *você?*

Uma vez andei carregando no bolso um recorte de jornal e li-o até que se tornou parte de mim mesmo:

O mais sábio e melhor vendedor é sempre aquele que diz francamente a sua opinião sobre o artigo que vende. Olha bem de frente ao seu prospectivo cliente e diz-lhe toda a verdade. Isto sempre impressiona. E, mesmo que nada venda na primeira vez, deixará um rasto de confiança. Um freguês, via de regra, não pode ser enganado mais de uma vez com conversas habilidosas e envolventes que não se enquadram com a verdade. Não é o melhor conversador quem ganha o negócio — mas o mais honesto... há alguma coisa no olhar, na disposição das palavras, no espírito de um vendedor que imediatamente desperta confiança ou desconfiança... ser franco e honesto é sempre mais seguro e melhor.

— George Matthew Adams

Não sou um signatário oficial de planos de seguro de vida mas tenho procurado seguir o código desses profissionais. Todo vendedor tiraria proveito da sua adoção: "Em todas as minhas relações com clientes, concordo em observar a seguinte regra de conduta profissional: Dispensarei ao meu cliente, à luz de todas as circunstâncias em que se encontra, e que farei os melhores esforços para estabelecer e compreender, o mesmo tratamento, que, estivesse eu em idênticas circunstâncias, dispensaria a mim mesmo."

Para conquistar e conservar a confiança dos outros, a Regra Número Um é:

MEREÇA CONFIANÇA

15. LIÇÃO VALIOSA DE COMO CONQUISTAR CONFIANÇA QUE APRENDI COM UM GRANDE MÉDICO

CHEGUEI em Dallas, Texas, numa noite de sábado, faz alguns anos, com uma infecção estreptocócica na garganta. Não podia falar — e estava programado para uma série de cinco palestras a começar de segunda-feira à noite! Chamou-se um médico. Fez-me um tratamento, mas na manhã seguinte eu estava pior. Parecia impossível eu prosseguir com as palestras.

Indicaram-me então o Dr. O. M. Marchman, Medical Arts Building 814, em Dallas. Este chegou e conseguiu o que o primeiro médico havia dito ser impossível. Pude subir à plataforma todas as noites e pronunciar *todas* as minhas conferências!

Uma manhã, durante um dos tratamentos, o Dr. Marchman perguntou-me onde eu residia. Quando lhe disse em Filadélfia, seus olhos se iluminaram: "É mesmo? Então o Sr. vem do centro médico do mundo," disse ele. "Passo todo verão seis semanas em sua cidade, para visitar clínicas e assistir a conferências."

Que surpresa! Aí estava um dos médicos de maior clínica na região sudeste, e que, aos sessenta e seis anos de idade, estava ainda tão interessado em manter-se a par dos mais recentes desenvolvimentos em sua profissão que passava todos os anos as suas seis semanas de férias visitando clínicas e ouvindo conferências. Não admira que um homem como esse fosse considerado o maior especialista de ouvidos, nariz e garganta em Dallas, Texas.

Frank Taylor, comprador da General Motors há muitos anos, disse uma vez: "Gosto de fazer negócios com gente que conhece bem o seu ramo, que sabe me dizer exatamente o que é que tem que me serve, e que trabalha sem perder meu tempo ou o seu. Gosto do homem com idéias úteis, que sabe mostrar-me como obter mais mercadoria ou de melhor qualidade pelo mesmo dinheiro. Ajuda-me a desempenhar meu serviço de modo a satisfazer meus empregadores. Procuro favorecer todo vendedor que seja absolutamente honesto a respeito de sua mercadoria, e que é capaz de ver as limitações bem como as virtudes da mesma. Nunca tive mal-entendidos com um homem desse tipo."

Naqueles dias passados em que eu lutava para progredir, havia dezesseis vendedores trabalhando na praça para o nosso escritório de Filadélfia. Dois deles produziam cerca de setenta por cento do movimento. Eu notava que esses dois homens eram constantemente consultados pelos outros vendedores. Provavelmente fui eu quem tirou mais partido de sua generosidade do que qualquer outro. Finalmente, chamou-me a atenção o fato de que esses dois líderes eram os homens mais bem informados da turma. Um dia perguntei a um deles onde é que obtinha todas as suas informações. Disse-me: "Tomei assinatura de serviços informativos que esclareçam todas as questões legais, dão idéias sobre vendas etc., e leio os melhores jornais e revistas."

"Como acha tempo para ler e estudar todas essas coisas?" perguntei.

"Tomo o tempo!" replicou ele.

Aquilo me deu uma sensação de culpa. Pensei comigo: "Se ele pode tomar o tempo, eu posso também. Seu tempo vale dez vezes mais do que o meu." Tomei então assinatura de um dos serviços que ele recomendou, pagando o preço mensalmente. Não demorou muito e fechei um bom negócio que eu nunca teria visto se não tivesse iniciado aqueles estudos. Como é natural, fiquei entusiasmado e contei o caso a outro vendedor do escritório. Insisti para que tomasse também aquela assinatura, mas ele disse: "Não posso gastar isso no momento."

No dia seguinte, atravessando a Broad Street, quase fui atropelado por um possante carro de boa classe. Quando levantei os olhos, dei com a cara do dono e reconheci-o com a maior surpresa. Era o homem que me dissera no dia anterior não *poder gastar* no momento os 48 dólares que custava o serviço de informações. Mais tarde, aquele homem não pôde manter o carro, tampouco!

Tenho viajado por todo o país assistindo a reuniões de vendedores e conferências. Nessas reuniões, sempre pude notar que os líderes eram homens que conheciam a fundo o seu negócio.

Billy Rose, em sua coluna "Pitching Horseshoes" (assentando ferraduras), escreveu não faz muito tempo: "Esta é a era do especialista. Atração e boas maneiras valem até 30 dólares por semana. Acima disso, o lucro está na proporção direta da quantidade de informação especializada na cabeça do indivíduo."

Por quanto tempo devemos continuar a estudar e aprender? O Dr. Marchman de Dallas, Texas, ainda sentia essa necessidade aos sessenta e seis e, na sua opinião, *nunca* era tempo de parar. Henry Ford disse: "Toda pessoa que parar de aprender está velha — seja sua idade vinte ou oitenta. Quem continuar sempre a estudar permanece jovem. A melhor coisa na vida é manter a mente jovem".

Assim, se quiser ter confiança em si mesmo, e conquistar e conservar a confiança dos outros, uma regra essencial é a seguinte:

CONHEÇA O SEU RAMO
E TRATE DE CONHECÊ-LO CADA VEZ MELHOR

16. A MANEIRA MAIS RÁPIDA QUE DESCOBRI PARA CAPTAR CONFIANÇA

A MANEIRA mais *rápida* que descobri para ganhar a confiança dos outros é — bem, é melhor ilustrá-la com o exemplo de uma entrevista real. O cenário dessa entrevista foi o escritório do falecido A. Conrad Jones, tesoureiro da I. P. Thomas Company, de Camden, Nova Jersei, grandes produtores de adubos.

Ouçamos como se desenvolveu a entrevista:

EU. Sr. Jones, quais as companhias em que está segurado?

JONES. A New York Life, Metropolitan e Provident.

EU. Muito bem, escolheu as melhores!

JONES (*evidentemente satisfeito.*) Acha mesmo?

EU. Não há melhores no mundo!

(*Comecei então a contar-lhe alguns fatos a respeito das suas companhias, coisas que as definiam indiscutivelmente como instituições de alta classe.* Por exemplo, contei-lhe que a Metropolitan era a maior rede no mundo; uma organização espantosa, que em algumas comunidades tinha segurado literalmente todo homem, mulher e criança.)

Mostrou sinais de enfado? Não senhor! Ouviu-me com o maior interesse contar algumas coisas a respeito de suas companhias que aparentemente nunca antes tinha ouvido. Sentia-se visìvelmente orgulhoso por ter mostrado tão excelente critério invertendo seu dinheiro nessas grandes companhias.

E tive algum prejuízo com esse honesto elogio aos meus concorrentes? Vejamos o que aconteceu:

Fazendo aqueles breves mas favoráveis comentários, terminei com o seguinte: "Sabe Sr. Jones, nós temos *três* grandes companhias aqui mesmo em Filadélfia: a Provident, a Fidelity e a Penn Mutual. Estão entre as primeiras companhias do país."

Ele pareceu impressionado com o conhecimento que revelei dos meus concorrentes, e pelo fato de eu me ter disposto a elogiá-los. Quando coloquei a minha própria firma na mesma classe das outras companhias com as quais já estava familiarizado, ele estava mais propenso a aceitar minha afirmação como exata.

Eis o que sucedeu: Fiz o seguro pessoal de A. Conrad Jones e, poucos meses depois, sua firma comprou-me vultosos seguros de vida sobre quatro de seus diretores principais. Quando o presidente, Henry R. Lippincott, me interrogou sobre a Fidelity, a companhia em que todos esses seguros deviam ser colocados, o Sr. Jones entrou na conversa e repetiu quase ao pé da letra o que eu lhe havia contado meses antes acerca das "três grandes companhias de Filadélfia."

Não — o fato de eu elogiar os meus concorrentes não me deu aqueles negócios, mas colocou-me na primeira linha, numa posição tão vantajosa que tudo mais acabou vindo por si. Com o correr do tempo e um pouco de sorte, os resultados foram mais do que compensadores.

No meu caso, um quarto de século de elogios aos concorrentes provou ser um modo muito feliz e lucrativo de fazer negócios. Durante toda a vida, em nossos contatos diários, sociais e profissionais, não estamos sempre procurando captar a confiança uns dos outros? Verifiquei que um dos meios mais rápidos de conquistar e conservar a confiança dos outros é aplicar a regra ditada por um dos maiores diplomatas do mundo, Benjamin Franklin: "Não falarei mal de homem algum — e falarei todo o bem que souber de todos."

Assim, a Regra Três é:

ELOGIE OS SEUS CONCORRENTES

17. COMO SER POSTO NO OLHO DA RUA!

CONCEDIA-ME a gentileza de uma entrevista final o Sr. Arthur C. Emlen, presidente da Harrison, Mertz & Emlen, engenheiros e arquitetos de renome estabelecidos na Greene Street, 5220, Germantown, em Filadélfia. O assunto envolvia uma grande linha de negócios, e essa entrevista devia decidir entre nossa firma e os concorrentes. O Sr. Emlen chamou os outros quatro sócios ao seu escritório. Enquanto nos sentávamos, tive a intuição de que era eu que iria ser "chutado". Minha intuição era certa.

Eis a entrevista:

EMLEN. Sr. Bettger, não tenho muito boas notícias para o senhor. Estudamos cuidadosamente o assunto e resolvemos entregar o negócio a outro corretor.

EU. Poderia saber por quê?

EMLEN. Pois não. Ele apresentou proposta igual à sua, mas por um preço muito menor.

EU. Poderia ver essa proposta?

EMLEN. Não acha, Sr. Bettger, que isto seria um pouco contra a ética?

EU. Desculpe-me, Sr. Emlen, mas não teria ele visto a *minha* proposta?

EMLEN. Hum... mm... Sim, mas só porque queríamos que ele nos fizesse um orçamento para o mesmo plano.
EU. Então, por que não posso eu ter igual privilégio? O que é que o Sr. teria a perder?
EMLEN. (*olhando para os seus sócios*) Que é que vocês acham?
MERTZ. O.K. Acho que nada perdemos com isso.
(*Emlen passou-me a proposta. Logo que lhe pus os olhos, vi que alguma coisa estava errada. Era mais do que exagero. Era fraude!*).
EU. Dão-me licença de usar o telefone?
EMLEN (*um tanto surpreendido*). Pois não.
EU. Quer fazer-me o favor de ficar ouvindo na sua extensão, Sr. Emlen?
EMLEN. Pois não.
(*Estávamos logo em comunicação com o gerente local da companhia cujo orçamento fora apresentado pelo corretor*).
EU. Alô, Gil! É Frank Bettger. Queria que você me desse alguns orçamentos. Tem sua tabela à mão?
GIL. Pronto, Frank. Pode falar.
EU. Veja a idade de quarenta e seis naquele "Plano de Vida Modificado" que vocês têm. Qual é a quota?
(*Gil deu-me a quota, que correspondia exatamente à que figurava na proposta que eu tinha na mão. Quarenta e seis era a idade do Sr. Emlen.*)
EU. Qual é o primeiro dividendo?
(*A cifra que Gil leu para mim correspondia também.*)
EU. Agora, Gil, quer dar-me a escala de dividendos para os primeiros vinte anos?
GIL. Não posso fazer isso, Frank, temos apenas *dois* dividendos que podemos cotar.
EU. Por quê?
GIL. Bem, este é um contrato novo, e a companhia não sabe que resultado terá a experiência.
EU. Você não poderia fazer uma estimativa?

GIL. Não, Frank, não podemos prever condições futuras. Por isso, a lei não permite estimativas de dividendos futuros. (*A proposta que eu tinha em mãos apresentava uma estimativa de dividendos extremamente liberal para vinte anos.*)

EU. Muito obrigado, Gil. Espero ter logo mais algum negócio para você.

O Sr. Emlen havia escutado toda a conversa. Quando desligamos houve uma breve pausa. Fiquei quieto, olhando para ele. Levantou os olhos para mim, correu-os depois sobre seus sócios e disse: "Bem, isto resolve o caso!"

O negócio era meu sem discussão. Acredito que meu concorrente o teria ganho, se tivesse simplesmente dito a verdade! Não foi só aquele negócio que ele perdeu — perdeu também toda e qualquer oportunidade de negócios futuros com aqueles homens. Além disso, perdeu ainda o respeito de si mesmo.

Como é que sei? Porque, há vários anos, eu havia perdido um negócio exatamente nas mesmas circunstâncias, com a diferença de que *eu* então estava do lado errado. O concorrente era um de meus amigos. Se eu me tivesse contentado com apresentar apenas os fatos provavelmente teria recebido o pedido, ou pelo menos metade do mesmo, pois o presidente da companhia estava inclinado a entregar-me o negócio. Isso teria sido de grande importância para mim naquele tempo. A tentação fora grande demais e eu exagerei as possibilidades do que eu tinha a oferecer. Foi realmente uma desonestidade. Alguém teve suspeitas e consultou a companhia. Perdi o negócio; perdi a confiança e o respeito de meu amigo; perdi o respeito do meu concorrente; e, pior do que tudo perdi o respeito de mim mesmo.

Foi uma experiência amarga. Fiquei tão abalado com o meu erro que passei a noite a pensar naquilo. Levei anos para recuperar-me daquela humilhação. Contudo, acho que *foi bom* eu ter perdido, porque aprendi assim que a filosofia daquele Karl Collings: "Sim, mas eu o saberei" era afinal a melhor. Tomei a seguinte resolução: Nunca mais desejarei qualquer coisa a que não tenha direito; custa caro demais!

18. ACHEI ESTE UM MEIO INFALÍVEL DE GANHAR A CONFIANÇA DE UM HOMEM

SEGUNDO me disseram, a coisa mais importante que faz um advogado de defesa ao pleitear uma causa diante do júri é apresentar testemunhas. Como é natural, o juiz e os jurados sentem que o advogado tem a opinião preconcebida, de sorte que descontam alguma coisa do que ele diz. Mas as declarações de uma testemunha fidedigna exercem uma influência poderosa sobre a corte em relação à confiança que merecerá o advogado na apresentação do caso.

Vejamos como as testemunhas podem ter seu papel na profissão de vender.

Durante muitos anos, na entrega de cada contrato que eu vendia, o comprador assinava o recibo impresso da companhia. Eu colecionava fotocópias desses recibos, coladas em papel, num caderno de folhas soltas. Verifiquei que essa documentação exercia grande influência a meu favor junto às pessoas que não me conheciam, predispondo-as logo à confiança. Como "fecho" de conversa, geralmente digo mais ou menos isto: "Sr. Allen, eu naturalmente sou suspeito. Qualquer coisa que eu dissesse a respeito deste plano seria favorável; assim, quero que o Sr. fale com alguém que não tenha interesse algum em vendê-lo. Posso usar seu telefone por um instante?" Chamo então uma das minhas "testemunhas" ao telefone — de preferência alguém cuja assinatura o prospectivo cliente tenha reconhecido ao folhear os recibos. Muitas vezes é um amigo ou vizinho. Às vezes o chamado é interurbano. Estes são os de maior efeito. (Notem bem! Eu faço esses chamados no telefone do cliente, mas assim que terminar pergunto à telefonista o montante do telefonema, e *pago imediatamente*.)

Da primeira vez que fiz isso, tive receio de que o cliente não quisesse aceitar a importância, mas isto nunca aconteceu. De fato, parecem satisfeitos de conversar com a minha "testemunha". Às vezes é um velho amigo, e a conversa desvia-se para rumos muito diferentes do assunto inicial.

Essa idéia ocorreu-me acidentalmente, mas a experiência provou que é um modo esplêndido de usar as testemunhas. Nunca fui muito bem sucedido quando tentei vencer objeções em visitas subseqüentes, mesmo armado de argumentos bem preparados. Em geral tudo que resulta é uma discussão sem proveito. Acho que é cem vezes mais produtivo esse método das "testemunhas", que estão tão à mão quanto o telefone.

E qual a atitude das minhas testemunhas? Parecem sempre ter prazer em dar conselho. Quando vou visitá-los para agradecer, verifico que o processo tem duplo efeito, pois parece que, no empenho em recomendar o artigo ao meu novo cliente, ficam mais entusiasmados com aquilo que adquiriram.

Há anos, um amigo muito chegado corria a praça à procura de um aquecedor a óleo para a sua casa. Recebeu cartas e catálogos de várias firmas. Uma dessas cartas tinha mais ou menos este teor: "Junto enviamos uma lista dos seus vizinhos que usam o nosso aparelho de aquecimento. Por que não vai até o telefone e pergunta ao

Sr. Jones, seu vizinho, se está satisfeito com o nosso aquecedor?"

Meu amigo *foi* ao telefone e falou com alguns dos vizinhos cujos nomes constavam na lista. E acabou comprando o aparelho. Isso faz dezoito anos, mas ainda outro dia ele disse: "Lembro-me sempre dos termos daquela carta."

Algumas semanas depois, de eu ter dado um curso em Tulsa, Oklahoma, um vendedor escreveu-me para contar como tinha começado a usar essa idéia com um efeito sensacional. Eis o relato:

"Sr. Harris, há uma loja em Oklahoma City, aproximadamente do tamanho da sua, que conseguiu mais de quarenta fregueses novos no mês passado porque começou a vender um artigo que vem sendo anunciado em todo o país. Se o Sr. tivesse oportunidade de falar com o dono da loja, não gostaria de fazer-lhe umas perguntas a respeito?"

"Sim!"

"Posso usar seu telefone por um minuto?"

"Claro, à vontade."

"Chamei o dono daquela loja ao telefone e deixei que os dois comerciantes conversassem," escreveu o tal vendedor. "Achei que é, não só um método de abordagem perfeito, mas uma das melhores idéias para vender que já foram postas em prática".

Vou apenas referir mais uma experiência, que me foi contada por Dale Carnegie. Deixarei que Dale mesmo a conte:

"Eu queria saber aonde poderia ir no Canadá, a alguma estância nova, onde pudesse contar com boa comida, boas camas, boa pescaria e caçadas. Escrevi então ao departamento de recreações de Nova Brunswick. Logo depois, recebi respostas de uns trinta ou quarenta estabelecimentos, acompanhadas de numerosos folhetos que só aumentaram a minha confusão. Um homem, porém, enviou-me uma carta dizendo: "Por que não telefona a uma das pessoas de Nova York que estiveram em nossa fazenda recentemente para que o informem a respeito?"

"Na lista que acompanhava a carta vi o nome de um conhecido e lhe telefonei. Suas referências ao lugar eram as mais entusiásticas... Aí estava um homem que eu conhecia e em cujo julgamento podia confiar, e que me disse tudo que eu queria saber. Uma *testemunha direta*. Pude obter informações confidenciais. Nenhum dos outros prospectos apresentava *testemunhas*. Sem dúvida todos os outros estabelecimentos as tinham, mas não se davam ao trabalho de usar a única coisa que me inspiraria confiança mais depressa do que qualquer outra!

Portanto, um meio infalível de ganhar rapidamente a confiança dos outros é:

APRESENTAR TESTEMUNHAS

19. COMO TER BOA APARÊNCIA

AQUI ESTÁ uma idéia que me foi dada há trinta anos e que eu tenho usado desde então. Um dos homens mais bem sucedidos em nossa organização disse-me isto: "Quer saber de uma coisa? Às vezes, quando olho para você, tenho vontade de rir. Você se veste como um palhaço!" Bem, aquilo foi duro de engolir, mas o camarada era um daqueles tipos com os quais é difícil a gente se zangar. Sabia que era sincero, por isso prestei atenção.
Ele então me fez um sermão completo. "Anda com o cabelo crescido que nem poeta à moda antiga. Por que não corta os cabelos como um homem de negócios? Vá ao barbeiro toda semana para ficar sempre igual. Você não sabe dar um nó de gravata. Vá a uma boa loja e aprenda. Suas combinações de cores são positivamente engraçadas! Por que não procura um perito em modas masculinas para que lhe ensine a vestir-se?"
"Mas eu não tenho dinheiro para gastar numa coisa dessa," protestei.
"Quem é que está falando em gastar dinheiro?" replicou ele. "Não lhe custará um centavo. Na verdade, ainda vai economizar. Ouça bem. Escolha um bom camiseiro. Se não conhecer algum, vá procurar Joe Scott, da casa

Scott & Hunsicker. Diga-lhe que eu o mandei. Conte-lhe francamente que você não pode gastar muito, mas gostaria de saber como vestir-se corretamente. Diga-lhe que se ele se incumbir de orientá-lo, qualquer dinheiro que você tiver de gastar em roupas você o gastará na loja dele. Ele vai gostar disso. Tomará um interesse pessoal em você; mostrar-lhe-á o que deve usar. Você assim economizará tempo e dinheiro. E ganhará mais dinheiro, porque as pessoas terão mais confiança em você."

Tal idéia nunca me teria ocorrido. Esse foi o melhor conselho que já ouvi sobre a maneira de a gente vestir-se bem. Fiquei sempre satisfeito por tê-lo ouvido.

Confiei-me aos cuidados de um bom barbeiro chamado Ruby Dick. Disse-lhe que apareceria todas as semanas; que queria um corte como usavam os homens de negócios, e mantê-lo aparado de modo que o aspecto fosse sempre igual. Isto me custou mais dinheiro do que eu tinha gasto até agora num barbeiro, mas *economizei* dinheiro na etapa seguinte.

Fui à loja de Joe Scott e ele concordou de bom grado com o trato proposto. Ensinou-me como dar o nó da gravata; ficou a meu lado enquanto eu praticava até que aprendi, o jeito quase tão bem quanto ele. Toda vez que eu ia comprar um terno de roupas, atendia-me com todo o interesse, depois ajudava-me a escolher camisas, gravatas e meias combinando com o terno. Dizia-me que espécie de chapéu devia usar com cada roupa e qual o melhor sobretudo. De tempo em tempo dava-me pequenas lições sobre a arte de bem vestir. Deu-me também um livrinho que me ensinou coisas interessantes. Um outro conselho que me deu fez-me economizar, com o correr dos anos, dinheiro bastante para comprar vários ternos. Eu tinha por hábito usar o mesmo terno até parecer que eu havia dormido com ele. Então mandava-o ao tintureiro para limpar e passar. "Passadas freqüentes", explicou Joe Scott, "tiram a vida animal do pano, e a roupa

133

se gasta muito mais depressa. Ninguém deveria usar o mesmo terno dois dias seguidos. Se tiver só duas roupas, use-as alternadamente. Sempre que tirar a roupa, o paletó e o colete devem ser dependurados num cabide, e as calças dependurados retas, *não* sobre a barra do cabide. Se você fizer isso, as pregas desaparecerão e suas roupas raramente precisarão ser passadas, até que as mande ao tintureiro."

Mais tarde, quando já estava em situação mais folgada, Joe provou-me que é muito mais econômico comprar vários ternos. Assim pude deixar cada roupa dependurada por alguns dias depois de usada.

Meu amigo George Geuting, um verdadeiro artista do sapato, disse-me que as mesmas regras se aplicam ao uso dos sapatos: "Se você trocar os sapatos todos os dias, seus pés sentirão mais conforto e os sapatos manterão melhor a forma e durarão muito mais."

Alguém disse: "As roupas não fazem o homem, mas fazem noventa por cento da impressão que nos dá." A menos que um homem tenha a aparência que corresponde à sua posição, ninguém lhe dará o devido crédito. E, não há dúvida, o fato de estar bem vestido melhora a atitude mental de uma pessoa em relação a si mesma, e dá-lhe mais autoconfiança.

Aí está, pois, a idéia mais prática que já ouvi sobre como melhorar sua aparência: "Confie-se a um entendido."

TENHA BOA APARÊNCIA

RESUMO

TERCEIRA PARTE

LEMBRETES

1. Mereça Confiança. O verdadeiro teste é: você acredita e *não*, acreditarão os outros?

2. Para ter confiança em si mesmo, e conquistar e conservar a confiança dos outros, a regra essencial é:
Conheça o seu negócio... e trate de conhecê-lo cada vez melhor!

3. Um dos meios mais rápidos de ganhar e conservar a confiança dos outros é aplicar a regra de um dos maiores diplomatas do mundo, Benjamin Franklin: "Não falarei mal de homem algum — e falarei todo o bem que souber de todos." Elogie os seus concorrentes!

4. Cultive o hábito de ser moderado nas suas afirmações; nunca exagere! Lembre-se da filosofia de Karl Collings: "Sim mas *eu* o saberei."

5. Um modo infalível de ganhar rapidamente a confiança de uma pessoa é:
   Apresente as suas testemunhas. Elas estão ao alcance do telefone.

6. Tenha boa aparência. "Confie-se a um entendido."

Quarta Parte

COMO CONSEGUIR QUE AS PESSOAS TENHAM PRAZER EM FAZER NEGÓCIOS COM VOCÊ

20. UMA IDÉIA APRENDIDA COM LINCOLN AJUDOU-ME A FAZER AMIGOS

UM DIA, quando estava deixando o escritório de um jovem advogado, fiz uma observação que o levou a olhar-me com surpresa. Era a primeira visita que lhe fazia, e o que eu estava procurando vender não havia despertado nele o menor interesse. Mas aquilo que eu disse ao levantar-me para sair interessou-o imensamente. Eis tudo o que eu disse: "Dr. Barnes, creio que o Sr. tem um grande futuro pela frente. Nunca o aborrecerei, mas, se não se incomodar, gostaria de manter contato com o Sr., de tempo em tempo."

"Que quer dizer com isso — que eu tenho um grande futuro?" perguntou o jovem advogado. Vi pelo modo de falar que sua impressão era de que eu estava apenas fazendo bajulação.

Eu disse então: "Faz uns quinze dias, ouvi-o falar na Assembléia da Seigel Home-Town Association, e achei que foi um dos melhores discursos que já ouvi. Isto não foi só minha opinião. Gostaria que tivesse ouvido os comentários que fizeram alguns dos nossos membros depois que o Sr. saiu."

Qual foi a reação? Ele ficou todo alvoroçado! Perguntei-lhe como começara a falar em público. Ficou a contar-me coisas durante algum tempo e, quando saí, disse: "Volte a procurar-me qualquer dia, Sr. Bettger."

Decorridos alguns anos, aquele homem tornou-se um advogado de renome, um dos mais procurados da cidade. Fiquei sempre em contato com ele e, à medida que prosperava, foram surgindo mais e mais oportunidades de negócio para mim. Tornamo-nos bons amigos, e ele foi um dos meus melhores centros de influência.

Finalmente, ele se tornou assessor jurídico de companhias tais como a Pensilvania Sugar Refining Company, (aço) e a Horn & Hardart Company (cerâmica). Foi eleito para a diretoria de algumas dessas companhias. Mais tarde retirou-se da prática e aceitou um dos cargos mais honrosos que um homem pode obter, no seu Estado; tornou-se Juiz do Supremo Tribunal do Estado de Pensilvânia. Seu nome era H. Edgar Barnes.

Nunca deixei de dizer a Edgar Barnes da confiança que nele depositava. Muitas vezes contava-me confidencialmente os seus progressos. Participei de sua satisfação e orgulho e mais de uma vez lhe disse. "Sempre tive certeza de que você seria um dos maiores advogados da Pensilvânia." O Juiz Barnes nunca m'o disse diretamente, mas referências feitas por amigos comuns deram-me a entender que o estímulo constante que lhe pude proporcionar não deixou de contribuir com uma pequena parcela para o sucesso notável que alcançou.

Os homens apreciam as nossas demonstrações de confiança em suas realizações sempre maiores? Se nosso interesse for sincero, não sei de coisa alguma que eles mais apreciam. Ouvimos falar muito nas privações dos povos da Europa e da China, mas há milhões de indivíduos famintos aqui mesmo na América. Milhares de pessoas aqui mesmo em nossa cidade estão famintas — famintas de apreciação sincera do seu valor!

Abraão Lincoln escreveu, sobre a arte de ganhar amigos, uma excelente frase que, velha embora, tanto me auxiliou que vou repeti-la aqui:

> Se você quer ganhar um aliado para a sua causa, convença-o primeiro de que você é seu amigo sincero. Há nisso uma gota de mel que lhe captará o coração, via de acesso para a razão; uma vez conquistada esta, nenhuma dificuldade encontrará em convencê-lo da justiça de sua causa, se de fato essa causa for justa.

Há anos, indicaram-me um rapaz que trabalhava nos escritórios de Girard Trust Company, em Filadélfia. Tinha ele então vinte e um anos de idade. Consegui vender-lhe uma pequena apólice. Um dia, depois de conhecê-lo melhor, disse-lhe: "Clint, você ainda será presidente da Girard Trust Company, ou um dos seus diretores." Ele riu-se, mas eu insisti: "Não, estou falando a sério. Por que não? O que poderá detê-lo? Você tem todas as qualificações naturais. É jovem, ambicioso, tem excelente aparência. Tem, ainda, muita personalidade. Lembre-se de que todos os altos funcionários deste banco foram um dia apenas escriturários. Chegará o tempo de serem promovidos ou se aposentarem. Alguém tomará o lugar deles. Por que não será você um desses? Você o conseguirá se quiser!"

Insisti em que seguisse um curso superior de administração bancária e um curso de oratória. Ele fez ambas as coisas. Depois, um dia os empregados foram chamados a uma reunião e um dos diretores falou-lhes a respeito de um problema que surgira no banco. Disse que os diretores desejavam ouvir qualquer sugestão que tivessem a oferecer os funcionários.

Meu jovem amigo, Clinton Stiefel, levantou-se e expôs as suas idéias sobre o assunto. Falou com tanta segu-

141

rança e entusiasmo que surpreendeu a todos. Os colegas fizeram roda à sua volta depois da reunião e o cumprimentaram dizendo que se admiravam de ele saber falar tão bem.

No dia seguinte, o diretor que havia conduzido a reunião chamou Clint ao seu escritório, fez-lhe um grande elogio e disse que o banco ia adotar uma de suas sugestões.

Não demorou muito e Clint foi nomeado chefe de uma seção. Onde está ele hoje? Cliton S. Stiefel é vice-presidente da Provident Trust Company, uma das mais antigas e sólidas instituições bancárias da Pensilvânia.

O Sr. Stiefel recomenda-me freqüentemente a outros banqueiros e, das vezes em que ele mesmo comprou apólices de seguro, nunca tive de preocupar-me com a concorrência.

Há muitos anos, fui visitar dois amigos meus, jovens negociantes de futuro, mas na ocasião me pareciam um tanto deprimidos. Fiz então uma palestra de estímulo. Contei-lhes das opiniões favoráveis a seu respeito que muitas vezes ouvira de gente do comércio, mesmo de grandes firmas, negócios antigos — seus concorrentes! Lembrei-lhes o próprio começo, numa salinha acanhada, há cinco anos. Fiz-lhes a seguinte pergunta: "Como conseguiram meter-se nesse negócio?" Logo estavam rindo e contando suas vicissitudes passadas. Algumas eu desconhecia. Disse-lhes que não sabia de qualquer outro indivíduo naquele ramo que tivesse um futuro mais promissor do que eles. Parece que a idéia de que eram considerados pelos concorrentes os líderes de sua indústria levantou-lhes os ânimos. Decerto não ignoravam o fato, mas evidentemente fazia tanto tempo que ninguém os elogiava que minhas palavras foram oportunas como chuva em terra sedenta!

Quando me despedi, o mais jovem acompanhou-me até o elevador, o braço à volta de meus ombros. Quando entrei no elevador, disse-me rindo: "Venha *todas* as segundas-feiras de manhã, Frank, para nos dar uma injeção estimulante!"

Voltei lá muitas vezes no decorrer dos anos e, nas minhas conversas animadoras, incluía informações sobre o que eu tinha a vender. Aqueles homens continuaram a crescer e prosperar e também os meus negócios com eles prosperaram.

Tenho colhido muita inspiração lendo a vida de alguns grandes homens da história, mas as minhas melhores idéias me têm vindo do convívio com os homens com quem fazia negócios, e de amigos que adquiri. Quando aproveitava de suas idéias, sempre fazia questão de contar-lhes a respeito. As pessoas adoram ouvir que nos ajudaram. Darei apenas um exemplo:

Um dia estava falando com Morgan H. Thomas, então gerente de vendas da Garrett-Buchanan Paper Company, em Filadélfia. Dizia-lhe: "Morgan, você tem sido uma grande inspiração para mim. Ajudou-me a ganhar mais dinheiro e a gozar de melhor saúde."

Acreditou? Respondeu-me: Que é isso? Está fazendo troça? "Não, repliquei, estou falando a sério. Faz alguns anos, o seu presidente, Sr. Sinex, contou-me que você começou a trabalhar aqui ainda menino, e que tinha de entrar todas as manhãs às sete horas para limpar tudo antes de chegarem os outros. "Agora", disse ele, "Morgan é gerente de vendas, mas ainda entra às sete horas da manhã. Continua a ser o primeiro a chegar todos os dias!"

"Bem, pensei, chegar às sete horas, isto quer dizer que Morgan Thomas tem de se levantar pelo menos às *seis*. E se ele pode levantar-se às seis da manhã e ter a ótima aparência que tem, vou tentá-lo também. Entrei no clube das seis horas, Morgan, e sinto-me melhor do que nunca, sem falar no meu trabalho, que rende muito mais. Assim, você ajudou-me a ganhar mais dinheiro." Sei que Thomas ficou feliz por saber que havia contribuído para o meu progresso.

Hoje Morgan Thomas é presidente da Garrett-Buchanan Paper Company, firma que ocupa o segundo lugar entre os distribuidores de produtos de papel nos Estados Unidos. Morgan é um dos meus maiores clientes e também o são quase todos os altos funcionários dessa magnífica organização.

Eis aqui uma pergunta que tenho usado vezes sem conta: "Como foi que se iniciou neste ramo, Sr. Roth?"

Geralmente a resposta é: "Bem, isto é uma longa história." Quando um homem começa a falar no seu negócio, tenho sempre a maior curiosidade por saber como foi que principiou; os recursos escassos; as numerosas dificuldades; como conseguiu vencê-las. Tudo isso é para mim tão facilmente como um romance. Para ele, mais do que um romance. Raramente encontra quem se interesse a ponto de querer ouvir a história toda, mas adora contá-la. Se a gente se mostra realmente interessado e desejoso de aproveitar da sua experiência, entrará mesmo em todos os pormenores.

Depois da entrevista, anoto muitas coisas, tais como, onde nasceu, o nome de sua esposa, de seus filhos, as suas ambições, e seus passatempos. Tenho todos esses dados num arquivo de fichas que data de vinte e cinco anos para trás.

Às vezes os clientes admiram-se de eu me lembrar de tanta coisa a seu respeito. O fato de eu me interessar realmente pelas pessoas tem sido uma grande ajuda para mim na conquista de grandes e duradouras amizades.

Parece que há qualquer magia na pergunta: "Como foi que se iniciou neste negócio?"

Muitas vezes tem-me ajudado a conseguir entrevistas favoráveis com pessoas difíceis, demasiado ocupadas para me receberem. Vejamos uma experiência típica. É uma entrevista real, com um fabricante de tanques de madeira, cuja única idéia a respeito de vendedores parecia ser: Livrar-se deles.

EU. Bom dia, Sr. Roth! Meu nomo é Bettger, da Fidelity Mutual Life Insurance Company. Conhece o Sr. Walker, Jim Walker? (*passando-lhe o cartão de visita com uma apresentação pessoal de Jim Walker*).

ROTH. (*com fisionomia muito desagradável... olha para o cartão... atira-o sobre a mesa e diz irritado*). O Sr. é outro vendedor?

EU. Sim, mas...

ROTH. (*interrompendo-me antes que eu pudesse dizer mais nada*). O Sr. é o décimo vendedor que me aparece aqui hoje. Tenho coisas muito importantes a fazer. Não posso estar o dia todo a prestar atenção a vendedores. Faça-me o favor de não aborrecer! Eu não tenho tempo!

EU. Vim apenas por um instante, a fim de me apresentar ao Senhor, Sr. Roth. O objetivo de minha visita é marcar uma entrevista para amanhã, ou outro dia desta semana. Será melhor de manhã ou à tarde, para eu vir vê-lo por cerca de vinte minutos?

ROTH. Estou lhe dizendo que não tenho tempo para perder com vendedores!

EU. (*depois de deixar passar um minuto inteiro, enquanto examino com interesse um dos produtos da firma que se encontra instalado no chão*). O Sr. fabrica estas peças, Sr. Roth?

ROTH. Sim.

EU. (*após continuar o exame da peça por mais um minuto*). Há quanto tempo o Sr. está nesse ramo, Sr. Roth?

ROTH. Ora... vinte e dois anos.

EU. Como foi que começou o negócio?

ROTH. (*recosta-se na cadeira, começando a degelar*). Bem, isso é uma longa história. Comecei a trabalhar na John Doe Company quando tinha dezessete anos de idade,

145

matei-me de trabalhar para eles durante dez anos, vi que ia para a frente e então resolvi tentar por conta própria.
Eu. O Sr. nasceu aqui em Cheltenham, Sr. Roth?
Roth. (*amolecendo mais.*) Não, Nasci na Suíça.
Eu. (*agradavelmente surpreendido*). Não diga! O Sr. deve ter vindo para cá muito jovem.
Roth. (*com muita cordialidade... sorrindo*). É verdade, saí de casa aos catorze anos. Vivi durante algum tempo na Alemanha. Depois resolvi vir para a América.
Eu. Deve ter gasto um bom capital para estabelecer uma indústria grande como a sua.
Roth. (*sorrindo*). Bem, comecei com trezentos dólares, mas aumentei o capital para mais de trezentos mil!
Eu. Deve ser muito interessante ver como são feitos estes tanques.
Roth. (*levanta-se e vem para junto do tanque, onde estou*). Sim, temos muito orgulho de nossos tanques. Acho que são os melhores que há no mercado. Gostaria de passar pela fábrica e ver como são feitos?
Eu. Com o maior prazer!
(*Roth coloca a mão no meu ombro e leva-me para a fábrica.*)
O nome desse homem é Ernest Roth, dono principal da Ernest Roth & Sons, de Cheltenham, Pensilvânia. Nada lhe vendi nessa primeira visita. Mas num período de dezesseis anos, realizei com ele e seis dos seus sete filhos dezenove negócios que me deram muito bom lucro e, além disso, nossas relações pessoais vieram a constituir fonte de grandes satisfações para mim.

LEMBRETES

1. "Se quiser convencer um homem a aliar-se à sua causa, convença-o primeiro de que você é seu melhor amigo..." — Lincoln.

2. Estimule os jovens. Faça-os ver como podem alcançar êxito na vida.

3. Procure fazer com que os outros lhe contem quais são as suas maiores ambições na vida. Ajude-os a ampliarem as suas perspectivas.

4. Se alguém lhe serviu de inspiração, ou de qualquer forma o auxiliou, não faça segredo disso. Conte-lhe o fato.

5. Pergunte ao outro: "Como foi que se iniciou no seu negócio?" e depois, *seja um bom ouvinte*.

21. COMO PASSEI A SER BEM RECEBIDO EM TODA PARTE

Quando moço, eu tinha uma desvantagem que me teria condenado ao insucesso definitivo se eu não tivesse encontrado logo um meio de corrigi-la. Eu tinha a cara mais azeda que se pode imaginar, e possuo ainda um velho instantâneo para prová-lo. Havia uma razão. Meu pai faleceu quando eu era menino, deixando minha mãe com cinco filhos pequenos, e sem seguro. Mamãe teve de lavar roupa para fora e costurar para nos alimentar e vestir e procurar manter-nos na escola. Isto foi lá pela última década do século passado, e minhas recordações daquele tempo nada têm de alegres. Nossa casinha era sempre fria; o último aquecimento que tínhamos era o fogão da cozinha, e nem tapete no chão havia. As epidemias de moléstias infantis eram freqüentes naqueles dias — sarampo, escarlatina, febre tifóide, difteria — parecia que sempre um ou mais de nós se achavam acometidos de alguma coisa. Atormentada constantemente pelos espectros de doença, fome, pobreza e morte, minha mãe perdeu três dos cinco filhos durante essas epidemias. Já se vê que bem pouco motivo tínhamos para sorrir. Na verdade, tínhamos até medo de sorrir e parecer felizes.

Logo depois que comecei a trabalhar como vendedor, descobri que uma expressão preocupada, amarga, tem por resultado infalível uma recepção desfavorável e o fracasso.

Não custei muito a compreender que eu tinha um obstáculo sério a vencer. Sabia que não iria ser fácil mudar aquela expressão preocupada que os anos de infortúnio haviam deixado em meu rosto. Para isso era necessário modificar completamente minha maneira de encarar a vida. Eis o método que experimentei. Os resultados começaram a aparecer *imeditamente*, no meu lar, na sociedade e nos negócios.

Todas as manhãs, enquanto eu passava uns quinze minutos a esfregar-me no banho, resolvi cultivar um sorriso grande, feliz, apenas durante aqueles quinze minutos. Descobri logo, porém, que não devia ser um sorriso insincero, profissional, ensaiado apenas para ganhar alguns dólares. Tinha de ser um sorriso honesto e bom, vindo do coração, a expressão de uma felicidade interior!

Não, não foi fácil a princípio. Muitas vezes durante aqueles quinze minutos de exercício apanhava-me em pensamentos de dúvida, desânimo e medo. O resultado? A velha face marcada, de novo! O sorriso e a preocupação não combinam — e novamente eu me esforçava por sorrir. Voltavam então os pensamentos alegres, otimistas.

Embora eu só viesse a compreendê-lo mais tarde, essa experiência parece consubstanciar a teoria do grande filósofo e professor, William James, catedrático da Universidade de Harvard: "A ação *parece* seguir o sentimento mas, na realidade, ação e sentimento caminham paralelamente; dirigindo a ação, que está sob o controle mais direto da vontade, podemos indiretamente dirigir o sentimento, que não se controla pela vontade."

Vejamos como o exercício dos músculos do sorriso durante quinze minutos me ajudou a atravessar o dia. Antes de entrar no escritório de um cliente, eu parava um instante e pensava nas muitas razões que tinha para ser grato, fazia aparecer no rosto um sorriso grande e bom, e depois entrava na sala com o sorriso acabando de desaparecer. Era fácil então abrir um novo sorriso cordial, feliz. Raramente deixei de receber em troca a mesma qualidade de sorriso, da parte da pessoa que encontrava lá dentro. Quando a Senhorita Secretária ia anunciar-me ao chefe, refletia com toda a certeza parte dos sorrisos que havíamos trocado na ante-sala, porque em geral voltava ainda com o mesmo ar sorridente.

Suponhamos por um momento que eu tivesse entrado com a fisionomia preocupada, ou com aquela espécie de sorriso forçado — já sabem, aquele que parece produzido por um elástico que se estica e afrouxa no mesmo instante — não acham que a expressão da secretária praticamente diria ao chefe que era melhor *não* me receber? Ao passo que, da outra maneira, quando eu entrava no escritório do chefe, era a coisa mais natural para mim abrir um sorriso alegre e dizer: "Sr. Livingstone! Bom dia!"

Verifiquei que as pessoas ficam satisfeitas quando, passando por elas na rua, as cumprimento com um sorriso rasgado, dizendo apenas: "Sr. Thomas!" Isto significa muito mais para os outros do que o comum. "Bom dia... como vai?... alô." Se conhece a pessoa bastante bem, procure chamá-la apenas pelo primeiro nome — "Bill!" com um grande e cordial sorriso.

Já notaram que tudo parece correr bem para o indivíduo que tem um sorriso franco, alegre, e freqüentemente acontece o contrário ao outro que anda com ar aborrecido, preocupado ou desanimado?

As companhias telefônicas provaram por meio de testes que a voz que contém um sorriso vence. Pegue no telefone agora mesmo, abra sua conversa com um bom sorriso, e *observe a diferença*. Seria uma boa idéia se alguém inventasse um espelho fixo ao telefone, para que pudéssemos verificar a diferença.

Tenho pedido a milhares de homens e mulheres em auditórios do país inteiro que se comprometessem a sorrir, *apenas durante trinta dias*, o seu sorriso mais feliz para cada pessoa que encontrassem. Sempre uns 75 por cento das pessoas de cada auditório levantavam logo a mão em sinal de assentimento. Qual tem sido o resultado? Vou citar trecho de uma carta recebida de Knoxville, Tennessee. É o padrão de diversas cartas que tenho recebido:

> Minha esposa e eu tínhamos acabado de concordar em que era melhor nos separarmos. É claro que eu pensava caber a ela toda a culpa. Poucos dias depois de eu ter começado a pôr em prática a sua idéia, a felicidade voltou ao meu lar. Comecei então a compreender que meus insucessos na profissão eram devidos à minha atitude fechada, desanimada. Ao fim do dia, ia para casa e descontava os dissabores na esposa e nos filhos. A culpa era toda minha e não de minha mulher. Sou agora um homem totalmente diferente do que era há um ano. Sou mais feliz porque dei também felicidade aos outros. Agora todos me cumprimentam com um sorriso e, além de tudo, meus negócios tomaram um impulso surpreendente.

Esse homem ficou tão entusiasmado com os resultados que obteve com o sorriso, que continuou durante anos a escrever-me sobre o assunto!

Dorothy Dix, disse uma vez: "Não há arma em todo o arsenal feminino a que os homens sejam tão vulneráveis como o são a um sorriso... É uma coisa lamentável que as mulheres não cultivem a alegria por virtude ou por dever, porque não há outra qualidade tão capaz de fazer do casamento um sucesso e conservar o marido cativo no lar. Não há homem que não se apresse a chegar em casa à noite quando sabe que lá encontrará uma mulher cujo sorriso é como o sol nascente."

Sei que poderá parecer inverossímil que se possa cultivar a felicidade por meio de um sorriso, mas experimentem fazê-lo apenas por trinta dias. Prodigalizem a todo ser vivo que encontrem o seu *melhor* sorriso, mesmo a sua esposa e filhos, e verão como se sentirão e parecerão muito melhor. É uma das melhores maneiras que conheço para acabar com as preocupações e começar a viver. Quando eu iniciei a experiência, verifiquei que todo mundo tinha mais prazer em receber-me.

22. COMO APRENDI A GUARDAR NOMES E FISIONOMIAS

DURANTE um ano dei um curso sobre vendas na seção central da Associação Cristã de Moças de Filadélfia. Como parte do curso, veio um professor especializado em treinamento da memória dar aulas durante três noites. Esse treinamento fez-me reconhecer a importância de se lembrar o nome de uma pessoa. Desde então tenho lido livros e ouvido conferências sobre o assunto. Tenho procurado, na profissão e em contatos sociais, aplicar algumas das idéias aprendidas. Verifiquei que tinha muito menos dificuldade em lembrar nomes e fisionomias quando observava aquelas três coisas que todos os especialistas ensinam:

1. *Impressão*
2. *Repetição*
3. *Associação*

Se tiverem qualquer dificuldade em se lembrarem dessas três regras, como eu tive, eis uma idéia simples que tornou impossível para mim esquecê-las. Pensava apenas na palavra *ira* — I-R-A são as iniciais das três palavras. Vamos analisar um pouco cada uma delas:

1. Impressão

Os psicólogos dizem-nos que quase todas as nossas deficiências de memória não são realmente deficiências de memórias; são deficiências de *observação*. Creio que foi esta em grande parte a minha dificuldade. Eu costumava observar muito bem a fisionomia de uma pessoa, mas geralmente me escapava por completo o nome. Ou eu não ouvia o nome quando era apresentado ou não era capaz de entendê-lo claramente. Adivinhem o que fazia então? Isso mesmo. Nada! Passava por cima como se o nome nada me significasse. Mas, quando os outros deixavam de prestar atenção ao *meu* nome, ficava magoado. Se acontecia alguém interessar-se realmente pelo meu nome, fazer questão de anotá-lo corretamente, isto sempre me causava prazer. Fiquei tão impressionado com a importância dessa primeira regra que passei a considerá-lo uma descortesia imperdoável se eu não prestasse toda a atenção para guardar um nome corretamente.

Como apreender o nome corretamente? Se não conseguir entendê-lo com clareza, é perfeitamente admissível dizer: "Queira repetir o nome, por obséquio?" E, se ainda não tiver certeza, nada há de descortês em dizer: "Desculpe, quer fazer-me o favor de soletrá-lo?" Um interesse genuíno em conhecer-lhe o nome nunca ofendeu qualquer pessoa, que eu saiba.

Assim, a primeira coisa que me ajudou a lembrar nomes e fisionomias foi esquecer-me de mim mesmo e concentrar-me totalmente na *outra pessoa*, seu rosto, e seu nome. Isso auxiliou-me também a vencer a inibição diante de estranhos.

Dizem que os olhos realmente apanham uma fotografia mental das coisas que vêem e observam. É fácil provar isso porque podemos fechar os olhos e relembrar o rosto de um estranho com a mesma clareza como se estivéssemos vendo uma fotografia dele. Pode-se fazer a mesma coisa com um *nome*.

Verifiquei com surpresa que era muito menos difícil lembrar-me de nomes e fisionomias quando fazia um esforço consciente para observar bem o rosto de uma pessoa e obter uma *impressão viva e clara de seu nome*.

2. Repetição

Acontece-lhes esquecerem-se do nome de um desconhecido dez segundos após a apresentação? A mim me acontece, a menos que eu o repita várias vezes rapidamente enquanto está fresco na minha memória. Podemos repetir o nome imediatamente: "Muito prazer em conhecê-lo, Sr. Musgrave."

Depois, durante a conversação, ajuda-me muito usar o nome da pessoa de alguma forma: Nasceu aqui mesmo, Sr. Musgrave?" Se o nome for difícil de pronunciar, é melhor não evitá-lo. Quase todas as pessoas fazem isso. Quando não sei como pronunciar um nome, pergunto simplesmente: "Estou pronunciando corretamente o seu nome?" Verifico sempre que as pessoas gostam de nos ajudar a gravar bem o seu nome. Ficam satisfeitas também se isto se dá na presença de terceiros, que dessa forma guardarão igualmente o nome.

Agora, depois disso, é preciso tratar de não esquecer os nomes, e eu uso esquecê-los, a menos que repita um determinado nome algumas vezes para mim mesmo, durante a conversação, além de pronunciá-lo em voz alta nas oportunidades que houver.

Da mesma maneira, quando se quer fazer lembrado o próprio nome, pode-se geralmente encontrar um jeito de repeti-lo na conversa — dizendo, por exemplo: "...e ele me disse: "Sr. Bettger, este ano foi um dos melhores que tivemos."

Frequentemente, após despedir-me de uma pessoa que acabo de conhecer, anoto logo o seu nome. Só ver o nome escrito já é uma grande ajuda.

Ser apresentado a diversas pessoas ao mesmo tempo é um pouco embaraçoso para qualquer indivíduo. Eis uma idéia que me foi dada por um amigo, Henry E. Strathmann, destacado comerciante de materiais de construção em Filadélfia, e que me tem sido muito útil. Henry tinha antigamente muito má memória, mas conseguiu desenvolver tal habilidade para lembrar nomes, fisionomias e fatos, que hoje constitui um de seus passatempos fazer palestras para grandes auditórios, demonstrando seus métodos. Citarei, pois, o Sr. Strathmann:

Ao travar conhecimento com grupos, procure reter três ou quatro nomes de uma vez, e tome alguns momentos para assimilá-los, antes de dirigir-se ao grupo seguinte: Procure formar uma sentença com alguns dos nomes, a fim de fixá-los na memória. Exemplo: durante um jantar na semana passada, em que identifiquei cerca de cinqüenta pessoas num grupo de homens e mulheres, os convidados numa das mesas foram apresentados pelo encarregado dos brindes. Foram anunciados os seguintes nomes: "Castle"... "Kammerer"... "Sayers"... "Goodwin"... Keyser"... Foi fácil com isso formar uma sentença, e mais tarde, ao identificar o auditório, mostrei-lhes o poder da associação com o seguinte: "Traz à memória a I Guerra Mundial. O *Kaiser Saía* do seu *Castelo*. A *Câmera* mostrou que era um *Goodwin*... Essas frases são muito eficientes e ficam na memória por muito tempo. Não é sempre tão fácil formá-las, mas, com um pouco de prática, é surpreendente a freqüência com que ocorrem. Em grupos de dois ou três, encontram-se facilmente homófonos que gravam bem a impressão.

Tive recentemente ocasião de aplicar a idéia com muita vantagem. Encontrava-me em presença de uma comissão de quatro dentistas. O presidente, Dr. Horácio R. Mateus(*), apresentou-me, dizendo: "Sr. Bettger, apresento-lhe os Srs. Dr. Carneiro, Dr. Cerquinho e Dr. Mourão." Enquanto fazia os cumprimentos, imaginei o discípulo, Sr. Mateus, reincarnado na figura de um dentista de renome e servindo de presidente àquela comissão. S. *Mateus chamou o Carneiro, que pulou a Cerca, derrubando um Mourão.*

Com essa história tola tornou-se *fácil* para mim empregar os nomes de cada um dos doutores durante a conversa. Como Henry Strathmann, verifico que tais figuras me ficam na memória por muito tempo.

Já lhes aconteceu o embaraço de não poder apresentar pessoas porque no momento não se lembra do nome de uma delas? Não conheço qualquer fórmula para vencer tal falha. Há várias coisas, porém, que me têm ajudado a lembrar nomes com maior rapidez.

Primeiro — *Não fique nervoso*. É uma situação que pode acontecer a qualquer um, e acontece com freqüência. Verifiquei que o melhor é achar graça e confessar francamente que eu devo estar nervoso. Groucho Marx fez pilhéria disso recentemente, dizendo: "Nunca me esqueço de uma cara, mas no seu caso farei exceção!"

Segundo — *Sempre que passar por alguém que conheça chame-o pelo nome*. Diga "Sr. Follansbi!" ou "Carlos!" em lugar de apenas "Alô" ou "Como vai?" Depois que tiver passado adiante, repita para si mesmo o nome inteiro da pessoa, várias vezes: "Charles L. Follansbee... Charles L. Follansbee."

(*) Para maior clareza, os nomes constantes do original foram substituídos por nomes brasileiros.

157

Uma vez que as pessoas *gostam* de ouvir seus nomes pronunciados, por que não formar o hábito de chamar todo mundo pelo nome em todas as oportunidades, quer seja o presidente de sua firma, um vizinho, engraxate, garçon, ou porteiro. Nunca deixo de me surpreender com a diferença que isso faz nas pessoas. E verifiquei que, quanto mais eu chamava as pessoas pelo nome, melhor se tornava a minha memória para nomes.

Terceiro — *Sempre que possível, procure familiarizar-se com o nome, com antecedência.* Os especialistas em memória fazem isso. Antes de discursarem num almoço ou num jantar, obtêm a lista dos membros da organização e estudam os nomes e as profissões ou funções. Durante a reunião, o especialista recorre a um dos membros para que lhe aponte essas pessoas no auditório. Quando se levanta para falar, surpreende a todos com sua capacidade de identificar os membros, designando cada um pelo nome completo e pela profissão.

Podemos usar a mesma idéia em escala menor. Há anos, quando eu era sócio e frequentador regular do Clube Benjamin Franklin e do Clube dos Otimistas, envergonhava-me da minha incapacidade de falar a outros sócios, homens que eu conhecia, dirigindo-me a eles pelo nome. Depois comecei a habituar-me a rever a lista dos sócios antes das reuniões. Logo adquiri tanta confiança em minha nova habilidade de lembrar nomes prontamente que me vi andando a apertar a mão a todo mundo em lugar de limitar-me a cumprimentos a distância. Aqueles homens tornaram-se então *amigos*, quando antes eram meros conhecidos.

O verdadeiro segrêdo da repetição é este: repetição a intervalos. Faça uma lista das pessoas de quem quer se lembrar, ou *de qualquer coisa* que queira gravar na memória, e repasse-a rapidamente antes de dormir, logo ao levantar-se, no dia seguinte, e de novo na semana seguinte. Acredito que se podem gravar na memória quase todas as coisas, repetindo-as bastante e com intervalos.

3. Associação

Como reter o que se quer lembrar? Sem dúvida o processo de associação é o mais importante fator isolado.

Todos nos espantamos às vezes com a nossa capacidade de relembrar coisas ocorridas em nossa primeira infância, fatos em que nunca mais havíamos pensado, aparentemente esquecidos. Por exemplo: há pouco tempo, entrei com o carro num grande posto de gasolina em Ocean City, Nova Jersei. O dono reconheceu-me, apesar de fazer mais de quarenta anos que não nos víamos. Fiquei embaraçado, porque não podia recordar-me de já o haver visto alguma vez.

Agora vejam como a força da associação começou a operar.

"Eu sou Charles Lawson", disse o homem com certo alvoroço. "Estivemos juntos na Escola James G. Blaine."

Pois bem, o nome nada me dizia e eu estaria certo de que me tomava por outra pessoa, se não me tivesse chamado pelo nome e mencionado a Escola. Minha fisionomia, porém, permanecia inexpressiva e ele continuou: "Lembra-se de Bill Green?... e de Harry Schmidt?

"Harry Schmidt! Mas claro!" respondi. "Harry é um de meus melhores amigos."

"Não se recorda daquele dia em que a Escola Blaine fechou por causa de uma epidemia de sarampo, e um bando de nós foi jogar futebol no Parque Fairmont? Você e eu jogamos no mesmo time. Você era centroavante e eu jogava no gol."

"Chuck Lawson!" gritei saltando do carro e indo abraçá-lo. Chuck Lawson havia empregado o poder da associação, e funcionou como um passe de mágica.

Como ajudar os outros a se lembrarem do seu nome

Observa às vezes que as pessoas têm dificuldade em se recordarem do seu nome? Uma vez pensei comigo: "Olhe Bettger, você também tem um nome bem esquisito. Por que não ajudar um pouco aos outros?" Depois de alguma meditação, tive a seguinte idéia: quando sou apresentado ou me apresento eu mesmo, repito o meu nome, assim: "Meu nome é Bettger, Frank Bettger, Seguros de Vida." Em seguida, abro um sorriso e digo: "Seguros de Vida? Chame Bettger!" Quando dou meu nome no telefone, falando com alguma firma com que estive fora de contato por algum tempo, é freqüente a telefonista ou secretária dizer: "Ah, sim, o Sr. Bettger dos seguros de vida!"

Acredito que geralmente as pessoas desejam guardar-nos o nome, e ficam embaraçadas por não conseguirem lembrá-lo. Se pudermos sugerir-lhes um modo fácil de gravá-lo na memória, ficarão satisfeitas.

Ao encontrarmos alguém que não vemos há muito tempo, acho que o melhor é mencionarmos logo nosso nome. Por exemplo: "Como vai, Sr. Jones, meu nome é Tom Brown. Costumava encontrá-lo no Penn A. C." Isto evita qualquer possibilidade de embaraço, e tenho observado que as pessoas o apreciam.

Os outros também nos ajudarão a recordarmos seus nomes, se o pedirmos com franqueza. Este exemplo é típico: Há pouco tempo fiquei conhecendo muita gente nova em Tulsa, Oklahoma. O nome de um dos homens, S. R. Clinkscales, constituía para mim uma dificuldade. A transcrição de nossa entrevista mostrará como ele me facilitou a coisa:

BETTGER. Poderia repetir-me o seu nome, por favor?
(*O desconhecido repetiu o nome, mas só me soava como qualquer coisa parecida com "Clykztuz."*)
BETTGER. Desculpe-me, o Sr. poderia soletrá-lo?
DESCONHECIDO. C-l-i-n-k-s-c-a-l-e-s.
BETTGER. Clinkscales. Este é um nome fora do comum. Creio que nunca o ouvi. Será que há alguma maneira de eu lembrá-lo facilmente?

O homem ofendeu-se? Nem um pouco. Sorrindo amavelmente, disse: "Imagine uma daquelas balanças(*) antigas, de dois pratos, e o ruido que faria um peso leve atirado a um dos pratos... *Clink-Scales!*

Tolice? Certo que é! É por isso que é eficaz. Clinkscales deu-me ainda uma demonstração figurada, com ele segurando uma balança e atirando o peso. Seria impossível doravante esquecer-me dele ou do seu nome.

Mais tarde encontrei "Clink" inesperadamente em Enid, Oklahoma, e saudei-o imediatamente pelo nome. "Clink" ficou satisfeitíssimo, e eu também.

Quando um nome é extremamente difícil, pergunto sempre pela história dele. Muitos nomes estrangeiros têm uma história romântica. Qualquer pessoa tem mais prazer em discutir o próprio nome do que o tempo que está fazendo, e é seguramente muito mais interessante.

Algumas vezes o prêmio pela memorização de nomes é inteiramente desproporcional ao esforço nisso dispendido. Um velho amigo, modesto demais para permitir-me o uso de seu nome nesta história, contou-me que conseguiu aprender de cor o nome de cada um dos gerentes das 441 lojas em cadeia "X". Chamava cada um pelo nome próprio. Além disso, fez questão de conhecer os nomes de suas esposas e filhos. Quando chegava um novo bebê, ou quando havia doença ou qualquer contratempo, Bill aparecia para oferecer ajuda.

(*) "Scales" é balança, em inglês.

Bill tinha vindo da Irlanda para a América aos dezenove anos e se empregara numa das lojas para fazer a limpeza. Alguns anos depois, era nomeado vice-presidente da companhia e aposentou-se como homem abastado, aos cinqüenta e dois anos.

Não foi o fato de lembrar nomes e fisionomias que levou Bill à vice-presidência da companhia, mas ele sempre considerou isso um dos degraus importantes da escala. Perguntei-lhe se alguma vez tomara um curso de treinamento da memória. "Não", respondeu rindo. "A princípio, quando minha memória não era tão boa, levava comigo um grande caderno de apontamentos. Em conversas comuns, amistosas com o gerente de uma loja, ficava sabendo os nomes dos membros de sua família, até mesmo as idades de seus filhos. Logo que saía dali e entrava no meu carro, anotava esses nomes e quaisquer outros dados interessantes. Depois de alguns anos, raramente precisava recorrer às minhas notas, exceto para os empregados mais novos."

Em meu trabalho como vendedor, tem-me sido muito vantajoso lembrar não só os nomes de clientes e futuros clientes, mas também os nomes de secretárias, telefonistas e outros empregados das firmas. O fato de dirigir-me a eles chamando-os pelo nome faz com que se sintam importantes. E *são* importantes! De fato, a cooperação amistosa desses auxiliares é de valor inestimável.

Fico surpreendido com o grande número de pessoas que me dizem que são incapazes de lembrar nomes, estão sempre embaraçadas com isso mas parecem acreditar que nada podem fazer a respeito. Por que não fazer disso uma espécie de passatempo? Hão de verificar, num tempo relativamente curto, que a memória para nomes e fisionomias melhorou mais do que poderiam desejar. Experimentem levar no bolso uma ficha de 7,5 x 12,5cm., inscrita com os dizeres abaixo. Resolvam seguir só por uma semana estas regras:

1. *Impressão* — Procure ter uma impressão clara do nome e da fisionomia.
2. *Repetição* — Repita o nome com breves intervalos.
3. *Associação* — Associe o nome com o quadro de alguma ação; se possível, inclua a profissão ou negócio.

23. O MOTIVO PRINCIPAL POR QUE OS VENDEDORES PERDEM NEGÓCIOS

Nos dias distantes em que Mark Twain pilotava barcos Mississippi acima e abaixo, a Estrada de Ferro Rock Island resolveu construir uma ponte entre Rock Island, Illinois, e Davenport, Iowa. As companhias de navegação beneficiavam-se de um comércio intenso e próspero. Trigo, carnes conservadas e alguns artigos excedentes que os primeiros colonizadores podiam produzir eram transportados até o Mississippi em carros de boi e depois embarcados, seguindo rio abaixo. Os proprietários dos barcos a vapor eram tão ciosos dos seus direitos de transporte sobre o rio como se esse privilégio lhes tivesse sido outorgado por Deus, Nosso Senhor, em pessoa. Temendo séria concorrência se a estrada de ferro conseguisse construir a ponte, entraram com um recurso em juízo a fim de impedir a construção. Resultado: um grande processo. Os ricos donos das companhias de navegação contrataram o Juiz Wead, o mais conhecido advogado em questões fluviais dos Estados Unidos. Esse foi um dos casos mais importantes da história dos transportes.

No dia do julgamento, o tribunal não comportava o público que havia acorrido. O Juiz Wead, em seu discurso final à corte, manteve a multidão suspensa às suas palavras por duas horas. Aludiu até a uma dissolução da União por motivo da feroz controvérsia. Quando terminou a oração, os aplausos se ouviam muito além dos muros do edifício.

Quando se levantou o advogado da Estrada de Ferro Rock Island, o auditório até sentiu pena dele. Falou por duas horas? Não! Um minuto apenas. Eis a essência de seu discurso: "Em primeiro lugar, desejo cumprimentar o meu adversário pela sua brilhante oração. Nunca ouvi discurso mais belo. Entretanto, senhores jurados, o Juiz Wead obscureceu o ponto principal. Afinal, as necessidades dos que viajam de leste a oeste não são menos importantes do que as daqueles que navegam rio acima e abaixo. A única questão a decidir é se os homens têm mais direito de viajar pelo rio do que de atravessá-lo."

Disse e sentou-se.

O júri não levou muito tempo para chegar a uma decisão, e esta foi a favor do alto, magro, mal vestido e obscuro advogado do interior. Seu nome era Abraão Lincoln.

Sou grande admirador de Lincoln, e uma das minhas razões é o fato de ele ter sempre chegado tão depressa ao essencial. Era um mestre em brevidade. Pronunciou a oração mais famosa na história do mundo. O homem que o precedeu na plataforma, por ocasião do citado processo, falou durante duas horas. Lincoln falou em seguida — durante exatamente *dois minutos*. Ninguém se lembra hoje dos discursos de Edward Everett(*), mas a Oração de Gettysburg, de Abraão Lincoln, viverá sempre na memória dos homens. A opinião de Everett sobre o discurso de Lincoln naquele processo estava escrita num bilhete que enviou a Lincoln no dia seguinte. Seus termos exprimiam mais do que simples cortesia: *Eu estaria muito*

(*) Estadista e grande orador norte-americano, 1794-1865.

satisfeito se pudesse gabar-me de ter chegado ao ponto capital do assunto em duas horas, como o senhor em dois minutos.

Há anos, tive o raro privilégio de travar conhecimento com James Howard Bridge, escritor e conferencista que, quando moço, havia sido o secretário particular de Herbert Spencer, o grande filósofo inglês. Contou-me que Spencer tinha um temperamento que não tolerava a banalidade; que na pensão em Londres onde Spencer vivia havia freqüentemente, à mesa, conversadores tão infatigáveis quanto inconsequentes. Spencer resolveu dar uma lição aos amigos que falavam demais. Inventou uns tampões de ouvido semelhantes aos que hoje se usam quando faz muito frio. Sempre que a conversa se tornava por demais enfadonha, isolava-se tirando do bolso os tampões e colocando-os nos ouvidos!

Falar demais é uma das piores faltas sociais. Se você tem esse defeito, seu melhor amigo não lh'o contará, mas tratará de evitá-lo. Estou trazendo à baila este assunto, porque esse mesmo defeito tem sido um dos maiores obstáculos em minha vida. Deus sabe que, se já houve indivíduo que falasse demais, foi este seu criado, Frank Bettger.

Um dos meus melhores amigos resolveu dizer-me um dia: "Frank, não posso fazer-lhe uma pergunta que você não leve quinze minutos a responder, quando não precisava mais do que uma sentença!" Mas o que realmente me fez despertar foi aquela vez em que eu entrevistava um diretor muito ocupado e ele me disse: "Vamos ao assunto! Não me interessam esses pormenores todos." Não queria saber de aritmética — queria somente a resposta.

Pus-me a pensar nos negócios que eu provavelmente tinha perdido, nos amigos que havia caceteado e no tempo desperdiçado. Fiquei tão impressionado com a importância de aprender a ser breve que pedi a minha esposa que levantasse a mão toda vez que eu me desviasse do assunto. Procurava evitar os pormenores como se evitam as cascavéis. Finalmente, com o correr dos meses, aprendi a falar menos, mas ainda é uma luta. Creio que terei de sustentar essa luta durante toda a minha vida. Outro dia mesmo peguei-me falando por um quarto de hora, depois de já haver dito tudo, simplesmente porque estava com vontade de falar.

Que tais suas facilidades de término? Fica às vezes como se lhe tivessem "dado corda" e não pode parar? Ou tem o vício de entrar em todos os pormenores? Sempre que tiver consciência de estar falando demais — pare! "Desligue o despertador" em si mesmo. Se o seu ouvinte não insistir na continuação, é que a sua conversa já estava passando o limite.

Um vendedor nunca pode *saber* demais, mas pode *falar* demais. Harry Erlicher, vice-presidente da General Electric, um dos maiores compradores do mundo, diz: "Numa recente assembléia de agentes compradores, resolvemos descobrir, por votação, qual a principal razão por que os vendedores *perdem* negócios. É muito significativo que dois terços dos votos acusavam que *os vendedores falam demais*."

Posso contar-lhes como consegui reduzir à metade as minhas conversas no telefone. Antes de chamar alguém, faço uma lista das coisas de que quero falar. Depois faço a chamada e digo: "Sei que o sr. está ocupado. Há apenas quatro coisas sobre as quais desejo falar-lhe, e direi uma de cada vez... primeiro... segundo... terceiro... quarto..."

Quando termino o número quatro, ele já sabe que a conversa está quase encerrada e que vou desligar assim que tiver obtido a resposta. E termino a conversa no ponto exato, assim: "Muito bem, muito obrigado." E desligo.

Não quero dizer que devamos ser abruptos. Ficamos logo ressentidos com a pessoa que é abrupta; mas admiramos a pessoa que é breve e sabe limitar-se ao essencial.

O grande escritor da Gênese contou a história da criação do mundo em 442 palavras, menos da metade das que usei neste capítulo. Eis uma obra-prima de brevidade!

24. COMO CONSEGUI VENCER O MEDO DE FALAR COM HOMENS IMPORTANTES

A LGUÉM perguntou-me outro dia se já tinha sentido medo. *Medo* nem é o termo exato. Senti pavor! Isso aconteceu há muito tempo, quando eu estava ainda lutando pela mera subsistência, tentando vender apólices de seguro. Gradativamente fui descobrindo que, para progredir, era preciso procurar gente mais importante e vender apólices maiores. Em outras palavras, ocupara-me da tropa, e agora queria tentar os capitães.

A primeira visita importante que fiz foi para Archie E. Hughes, presidente da Foss-Hughes Company, de Filadélfia. Era um dos líderes da indústria de automóveis na costa do Atlântico. O Sr. Hughes era um homem ocupado. Eu já havia feito diversas tentativas de ser recebido.

Enquanto a secretária me acompanhava ao luxuoso escritório, fui ficando cada vez mais nervoso. Entrei. Minha voz tremia quando comecei a falar. De repente meus nervos dominaram-me completamente e não pude continuar. Fiquei parado, tremendo de medo. O Sr. Hughes levantou os olhos, espantado. Depois, sem o saber, fiz uma coisa certa, uma coisa simples que converteu a entrevista de um fracasso ridículo num sucesso. Consegui gaguejar: "Sr. Hughes... eu... ahn... eu estive tentando vê-lo por muito tempo... e, ahn... agora que estou aqui, estou tão nervoso que nem consigo falar!"

Já enquanto eu falava, notei com surpresa que meu medo começava a ceder. Minha cabeça atordoada voltou a funcionar, as mãos e os joelhos pararam de tremer. O Sr. Hughes parecia de repente tornar-se meu amigo. Não há dúvida de que estava satisfeito, satisfeito por eu o con siderar um indivíduo tão importante. Seu rosto tomou uma expressão bondosa e ele: "Compreendo perfeitamente. Não se preocupe. Senti a mesma coisa muitas vezes, quando era jovem. Sente-se e fique à vontade."

Com muito tato encorajou-me a continuar, fazendo-me perguntas. *Era evidente que, se eu tivesse alguma proposta que pudesse interessá-lo, ele de boa vontade me daria o negócio.*

Não fizemos negócio, mas ganhei algo cujo valor foi para mim muito maior do que qualquer comissão sobre uma venda. Descobri esta regra simples e sensata: *Quando estiver com medo... confesse-o!*

Eu julgava que esse temor de falar com pessoas importantes fosse devido a falta de coragem. Envergonhavame disso, e procurava ocultar o fato. Aprendi, porém, que muitos homens eminentes, nas mais altas posições, são perseguidos pelo mesmo temor. Em 1937, estando em Nova York, fui ao Empire Theater, e ouvi com grande surpresa Maurice Evans (considerado por muitos críticos o maior intérprete de Shakespeare no mundo inteiro) confessar, diante de um grande auditório, composto de famílias e formandos da Academia Americana de Arte Dramática, que estava nervoso. Eu ali me achava porque meu filho Lyle era um dos estudantes que colavam grau.

Maurice Evans era o orador principal da cerimônia. Após algumas palavras, hesitou, evidentemente embaraçado, depois disse: "Estou apavorado. Não me dei conta de que iria falar a um auditório tão numeroso e importante. Preparei algumas palavras que me pareceram apropriadas para a ocasião, mas elas me fugiram todas."

O auditório adorou Maurice Evans por isso. A confissão franca de que estava atemorizado pareceu romper a tensão. Ele readquiriu a calma, prosseguiu e entusiasmou os jovens e os velhos falando-lhes de coração.

Durante a guerra, ouvi falar um oficial da marinha americana, num almoço que se realizava no Bellevue-Stratford Hotel de Filadélfia, com a finalidade de se promoverem as vendas de bônus de guerra. Ali estava um homem que se distinguira pela coragem e bravura nas Ilhas Salomão. O auditório esperava um discurso cheio de fatos emocionantes e episódios arrepiantes. Eis que ele se levanta, tira do bolso alguns papéis e, para desapontamento de todos, começa a ler o seu discurso. Estava extremamente nervoso, mas procurava escondê-lo do auditório. A mão tremia-lhe tanto que lia com dificuldade. Subitamente, a voz sumiu-se. Passados alguns segundos, ele disse, embaraçado mas com sincera humildade: "Estou muito mais assustado neste momento, enfrentando este auditório, do que quando enfrentava os japoneses em Guadalcanal."

Após essa honesta confissão, deixou de lado as notas e começou a falar ao auditório com segurança e entusiasmo. A efeito foi incomparavelmente maior e mais interessante.

Esse oficial de marinha descobriu o mesmo que descobriram Maurice Evans, eu e milhares de outros — quando estiver numa situação difícil e morrendo de medo, confesse-o! Quando estiver numa posição falsa e em erro, admita-o cem por cento.

Sobre este assunto escrevi um artigo, em 1944, para a revista *Your Life*. Logo depois de publicado, tive a satisfação de receber a seguinte carta:

ALGURES NO PACÍFICO
11 DE SETEMBRO DE 1944

171

Prezado Frank Bettger:

Acabo de ler e meditar sobre seu artigo aparecido no número de setembro da revista *Your Life*. O título que lhe deu é "Quando estiver com medo, confesse-o!" e tenho estado a pensar como é bom esse conselho — especialmente para um soldado na linha de combate.

Naturalmente já passei por experiências semelhantes às que relata. Discursos no ginásio e na universidade; conferências com patrões antes e depois de obter o emprego; a primeira conversa séria com aquela certa jovem — todas essas ocasiões me causaram pavor.

Talvez o Sr. se admire de eu lhe escrever deste posto longínquo para corroborar as suas palavras, porque certamente eu não estou fazendo discursos nem pedindo emprego. Não, não estou sujeito a penitências desse gênero, mas, creia-me que sei o que é o medo e como pode afetar uma pessoa. Também nós verificamos que seu conselho: "Confesse-o", é absolutamente certo e igualmente apropriado quando se tem pela frente um assalto dos demônios japoneses.

Ficou provado inúmeras vezes que nessas ocasiões são os homens que não admitem estarem com medo os que perdem o controle em combate. Mas quando se confessa que está apavorado, apavorado mesmo, então se está no caminho certo para vencer o medo, na maioria dos casos.

E agora, quero agradecer-lhe por ter escrito aquele artigo, e espero sinceramente que os estudantes e trabalhadores que têm a oportunidade de seguir os seus conselhos não deixem de fazê-lo.

Sinceramente,

Charles Thompson

16143837 Co. C
382 Infantary U. S. Army
A. P. O. N. 96, a/c Correio Geral, São Francisco, Calif.

Essa carta vinda das linhas de fogo certamente foi escrita em circunstâncias as mais impressionantes; entretanto, existem provavelmente pessoas, agora, lendo este capítulo, que já têm parado ou andado hesitantes diante da porta de um escritório, procurando reunir coragem para enfrentar o homem importante com quem precisavam falar. Será você um desses? Homens importantes — suas esposas não tremem diante deles! Você lisonjeará muito um homem importante dizendo-lhe que se sente atemorizado na sua presença.

Relembrando as coisas agora, reconheço como fui tolo, quantas vezes deixei de aproveitar as oportunidades porque tinha medo de falar com gente importante. Visitar Archie Hughes foi uma etapa importante na minha carreira de vendedor. Tinha receio de procurá-lo e estava apavorado quando lá cheguei. Se não tivesse confessado que estava com medo a entrevista teria sido um fracasso completo. Essa única experiência ajudou-me a subir na escala de vencimentos. Pude ver que aquele homem era simples e acessível, afinal, apesar de ser importante. Na verdade, essa era uma das razões de ter atingido tão importante posição.

Não é vergonha admitir que se está com medo, mas é desprezível não conseguir *tentar*. Portanto, quer esteja falando a uma pessoa, ou a mil, sempre que esse estranho demônio do medo, o inimigo público número um, quiser dominá-lo, lembre-se desta simples regra:

QUANDO ESTIVER COM MEDO, CONFESSE-O

RESUMO

QUARTA PARTE

LEMBRETES

1. "Se quiser ganhar um aliado para a sua causa," disse Abraão Lincoln, "primeiro convença-o de que é o melhor amigo dele".

2. Se quiser ser bem recebido em toda parte, apresente-se sempre com um sorriso, um sorriso franco que venha do coração.

3. Terá muito menos dificuldade em recordar nomes e fisionomias se se lembrar destas três coisas:
    a) *Impressão*: Procure obter uma impressão clara do nome e da fisionomia.
    b) *Repetição*: Repita o nome a breves intervalos.
    c) *Associação*: Associe o nome com o quadro de alguma ação; se possível, inclua a profissão do indivíduo.

4. Seja breve. Um vendedor *nunca* pode saber demais, mas pode *falar* demais. Harry Erli-

cher, vice-presidente da General Electric, disse: "Numa recente reunião de agentes compradores, votamos para descobrir qual a razão principal por que os vendedores perdem negócios. É muito significativo que dois terços dos votos acusavam o fato de os vendedores *falarem demais*.

5. Se tiver receio de aproximar-se de homens importantes, faça esta fraqueza reverter em seu favor! Vá procurar o homem de quem tiver mais medo, e *confesse* que está nervoso. Qualquer pessoa sentir-se-á muito lisonjeada se você lhe disser que se sente atemorizado em sua presença. Se você tiver alguma proposta útil, mostrará boa vontade e ajuda-lo-á a realizar o negócio.

Quinta Parte

AS ETAPAS DE UMA VENDA

25. A VENDA PRELIMINAR

CERTA ocasião, achando-me no tombadilho de um grande vapor e observando como atracava no cais de Miami, Flórida, vi uma coisa que me ensinou uma lição importante, e que eu muito precisava aprender, sobre a maneira de se abordar um prospectivo cliente. Naquele momento, meu espírito estava longe dos negócios, pois eu estava em férias.

Quando o navio já se estava aproximando do cais, um dos tripulantes lançou uma coisa que parecia uma pelota de basebol com uma corda fina pendente. Um empregado das docas estendeu os braços, mas deixou a bola passar por sobre sua cabeça, aparando com um braço o cordão. Enquanto ele puxava a corda fina, mão sobre mão, notei que esta estava ligada a uma corda grossa que era assim arrastada através da água para o cais. Logo mais, a corda pesada era enrolada em torno de um poste de ferro, o "cabeção". Pouco a pouco o navio era puxado ao longo do cais e amarrado à doca.

Conversando com o capitão, ele me disse: "Aquela corda fina é chamada a "retenida", a bola chama-se "pinha", e a corda pesada que prende o navio à doca é a "amarra"

179

Seria impossível jogar a amarra bastante longe, de bordo, para estabelecer a ligação com o cais."

Essa explicação do processo de atracação foi para mim como que uma revelação. Compreendi que eu havia perdido muitos clientes promissores por falta de uma técnica de aproximação. Eu começava sempre por atirar-lhes a amarra. Por exemplo, poucos dias antes, um atacadista de massas alimentícias tinha ameaçado atirar-me da plataforma de entregas de sua fábrica. Eu havia penetrado lá sem ter marcado hora, e começara minha arenga antes de ele entender quem eu era, a quem representava e a que vinha. Não admira que fosse tão descortês, estava simplesmente pagando na mesma moeda. Agora, eu não compreendia como pudera ser tão obtuso!

Quando voltei daquelas férias, comecei a ler tudo que podia encontrar sobre "A Abordagem". Interroguei vendedores mais velhos e experimentados. Surpreendi-me ouvindo alguns dizerem: "A abordagem é o passo mais difícil do negócio!"

Comecei a entender por que eu ficava tão nervoso e freqüentemente andava hesitante para cima e para baixo diante de um escritório antes de me decidir a entrar. Eu não sabia *como* aproximar-me da pessoa que ia procurar! Tinha receio de ser despachado antes mesmo de ter oportunidade de apresentar a minha proposta.

Como é que imaginam que eu consegui alguns dos melhores conselhos sobre esse assunto? Não foi através dos vendedores. Foi perguntando aos próprios *clientes*. Eis duas co'sas que assim aprendi e que muito me têm auxiliado:

1. Detestam vendedores que os mantêm no escuro sobre quem são, a quem representam e a que vieram. Ficam violentamente ressentidos quando um vendedor usa de subterfúgios, tenta a camuflagem, ou dá uma falsa impressão da natureza de seu negócio ou do

motivo da sua visita. Admiram o vendedor que é franco, sincero e honesto na sua apresentação e que vai direito ao assunto.
2. Quando o vendedor aparece sem hora marcada, gostam que ele pergunte se o momento é conveniente para ser atendido, em lugar de entrar logo no assunto.

Anos depois, ouvi meu amigo Richard (Dick) Borden, de Nova York, um dos conselheiros e conferencistas mais destacados do país no assunto de vendas, dizer a um grupo de vendedores. "Não tem muita utilidade procurar convencer a comprar um homem que não esteja convencido da importância de prestar atenção à sua conversa. Portanto, gastem os primeiros dez segundos de cada visita para "comprar" o tempo necessário a fim de poderem contar a sua história até o fim. Vendam a *entrevista*, antes de tentarem vender o artigo."

Quando tenho de procurar um homem, sem hora marcada, digo simplesmente: "Sr. Wilson, meu nome é Bettger, Frank Bettger, da Fidelity Mutual Life Insurance Company. Seu amigo, Vic Ridenour, recomendou-me que viesse vê-lo da próxima vez que me encontrasse na vizinhança. O Sr. poderá atender-me por alguns minutos agora, ou prefere que volte a outra hora?"

Geralmente ele diz: "Pode falar" ou, "A respeito de que quer falar-me?"

"A seu respeito!" é a minha resposta.

"Como a meu respeito?" pergunta em geral.

Aí está o momento crítico da abordagem. Se não estiverem preparados para responder imediatamente a essa pergunta, e de maneira satisfatória, é melhor nem fazer a visita!

Se derem a entender que querem vender-lhe algo que lhe custará dinheiro, estarão dizendo virtualmente que pretendem aumentar os seus problemas. Ele já está preocupado com as contas a pagar e pensando como reduzir as despesas. Se, porém, se mostrarem interessados em discutir algum problema importante que ele tenha, então estará desejoso de falar francamente sobre qualquer idéia que o possa ajudar a resolver o problema. A dona de casa não tem tempo de conversar com um vendedor sobre a compra de uma geladeira nova, mas está preocupada com o preço alto da carne, da manteiga, dos ovos, do leite. Está sempre interessada em ouvir como poderia evitar o desperdício, e reduzir o custo dos alimentos. Um rapaz ocupado não está interessado em entrar na Câmara Júnior de Comércio, mas está interessadíssimo em ter mais amigos, tornar-se mais conhecido, mais conceituado em seu meio, e, sobretudo, nas possibilidades de aumentar seus vencimentos.

Às vezes, uma aproximação bem sucedida realiza-se sem qualquer "conversa de aproximação". Darei apenas alguns exemplos: Há pouco tempo, em minha casa, à noite, um amigo pessoal, de longa data, associado com uma indústria importante, contou-me esta história:

"Eu fazia a minha primeira viagem como vendedor fora de Filadélfia. Nunca tinha estado em Nova York. A última parada antes da grande cidade era Newark. Quando entrei na loja onde devia apresentar-me, o dono estava ocupado com um freguês. Sua filhinha de cinco anos brincava no chão. Era uma linda criança e tornamo-nos amigos num instante. Brinquei com ela de pegador em volta das sacas de mercadoria. Quando o pai se desocupou, apresentei-me, e ele disse. "Faz muito tempo que não compramos de sua firma." Não falei com ele de negócios. Falei somente de sua filhinha. Ele observou: "Vejo que gostou da menina. Não quer voltar à noite para a festa de aniversário dela? Moramos em cima da loja."

"Segui caminho até Nova York, para colher a minha primeira impressão da cidade, e não foi mais do que isso — apenas uma impressão. Após entrar no velho hotel e mudar de roupa, voltei a Newark, para a festa. Foi uma reunião encantadora. Fiquei até meia-noite. Quando me preparava para sair, tive a emoção de receber do dono da casa o maior pedido que esse cliente já dera a nossa firma. Não procurei vender coisa alguma. Apenas tomando o tempo de agradar uma meninazinha interessante estabeleci a espécie de contato que nunca deixa de produzir resultado."

O autor da história, por modéstia, não me permitiu citar-lhe o nome, mas ele progrediu até tornar-se gerente de vendas, depois gerente geral, e finalmente presidente da sua companhia, uma firma que tem provado merecer a confiança que vem desfrutando há mais de cem anos. "Nos meus vinte e cinco anos como vendedor," continuou o amigo a contar, "a melhor abordagem que descobri foi saber primeiro qual o assunto de maior interesse pessoal para o prospectivo cliente, e depois conversar sobre o mesmo."

Nem sempre se tem uma criança para brincar, ou um assunto predileto para entrar em conversa, mas há sempre um modo se ser amável. Outro dia, estava almoçando com outro amigo meu, Lester H. Shingle, presidente da Shingle Leather Company, indústria de couros em Camden, Nova Jersei. Lester é um dos mais hábeis vendedores que conheço. Disse-me o seguinte:

"Há muitos anos, quando eu era um jovem vendedor, costumava visitar um grande fabricante no estado de Nova York, mas nunca consegui fazer negócio com ele. Um dia, ao entrar no escritório desse homem de meia-idade, ele olhou-me aborrecido e disse: "Sinto muito, mas não tenho tempo hoje. Vou já sair para almoçar."

"Compreendendo que a situação requeria uma atitude diferente, e rápida, eu disse: "Será que o Sr. poderia convidar-me para almoçar consigo, Sr. Pitts?" Ele ficou surpreendido, mas disse: "Ora, pois não, vamos."

183

"Eu não disse uma palavra sobre negócios, enquanto almoçávamos. Depois de voltarmos ao escritório, deu-me um pequeno pedido. Era o primeiro que dele recebíamos mas foi o primeiro de uma boa série de negócios que continuou por muitos anos."

Em maio de 1945, eu estava em Enid, Oklahoma. Ouvi então falar de um vendedor numa loja de sapatos de nome Dean Niemeyer, que acabava de estabelecer o que devia ser um recorde mundial, vendendo 105 pares de sapatos em um dia. Cada venda era um negócio separado, individual, feito com 87 mulheres e crianças. Eis um homem que eu gostaria de conhecer. Fui, pois, à loja onde trabalhava o Sr. Niemeyer e perguntei-lhe como conseguia aquilo. Ele me disse: "É tudo uma questão de como aproximar-se da freguesa. Ganha-se ou perde-se a freguesa, de acordo com a maneira de recebê-la à porta da loja".

Desejoso de saber o que ele queria dizer com isso, fiquei parte da manhã a observá-lo. Ele consegue realmente fazer a freguesa sentir-se em casa. Vai ao seu encontro até a porta da loja e cumprimenta-a com um sorriso franco, simpático. As maneiras agradáveis, atenciosas de Dean fazem com que a freguesa sinta prazer em entrar na loja, e *o negócio está assegurado antes de ela sentar-se.*

Êsses três homens simplesmente aplicavam, em seus contatos, a primeira, e provavelmente a mais importante medida para se vender qualquer coisa: "Torne-se agradável, em primeiro lugar!"

Verifiquei que a atitude que tomo no primeiro contato determina geralmente se o cliente me considera como simples "tomador de pedidos" ou como "conselheiro". Quando minha atitude inicial é correta, já ao passar para a segunda etapa, a da proposta, eu sou dono da situação. Se falhar na primeira tomada de contato, então o dono será o outro.

Terminarei este capítulo dando uma idéia da conversa que costumo travar no início — técnica desenvolvida num período de anos, e que se tornou para mim de valor inestimável.

Eu. Sr. Kothe, eu não posso dizer pela cor de seu cabelo ou dos seus olhos qual é a sua situação, tampouco como um médico poderia diagnosticar o meu caso se eu entrasse no seu consultório e lá ficasse sentado sem dizer coisa alguma. Esse médico pouco me poderia ajudar, não é mesmo?

Sr. Khote. (*geralmente achando graça*). É, tem razão.

Eu. Bem, esta é a minha posição diante do senhor, a menos que queira mostrar-me um pouco de confiança. Em outras palavras, a fim de que eu possa apresentar-lhe algo que eventualmente, se não agora, no futuro, terá interesse para o senhor, permite-me fazer-lhe algumas perguntas?

Sr. Khote. Vamos lá. Quais são as perguntas?

Eu. Se eu fizer qualquer pergunta a que prefira não responder, não me ofenderei por isso, mas compreenderei perfeitamente. Entretanto, asseguro-lhe que, se mais alguém vier a ter conhecimento de qualquer fato que o Sr. me contar, será por *seu* intermédio, nunca pelo *meu*. Tudo será considerado estritamente confidencial.

O QUESTIONÁRIO

Verifiquei que entro nas perguntas com mais facilidade esperando, para tirar o questionário do bolso, até que o cliente esteja respondendo à primeira pergunta. Faço isso olhando-o de frente e prestando-lhe a maior atenção. O questionário é breve, mas fornece-me um quadro completo da situação do meu entrevistado; também me dá uma idéia de seus planos e objetivos futuros. Percorro o questionário com a maior brevidade possível. Isso me toma de cinco a dez minutos, dependendo das respostas.

Eis algumas das perguntas confidenciais que não hesito em fazer:

Qual a renda mensal mínima de que necessitaria sua esposa na eventualidade da sua morte?
Renda mensal mínima para si mesmo na idade de sessenta e cinco anos?
Qual o valor atual do seu patrimônio?
Título, apólices, outras garantias?
Imóveis? (hipotecas).
Dinheiro líquido?
Renda anual ganha por trabalho ou produção?
Seu seguro de vida?
Quanto gasta por ano em seguros?

Não precisam ter receio de fazer tais perguntas confidenciais que se aplicam diretamente ao seu gênero particular de negócios se prepararem o espírito do cliente com uma conversa semelhante à que tracei acima.

Recoloco o questionário no bolso da mesma maneira como o tiro. Minha última pergunta (com um sorriso) "Que é que o Sr. faz quando não está trabalhando, Sr. Kothe? Quero dizer, o Sr. tem alguma atividade além do seu trabalho?"

Sua resposta a esta pergunta freqüentemente se torna valiosa para mim mais para diante. Enquanto ele responde a esta última pergunta, guardo o questionário. Nunca o mostro ao cliente na primeira entrevista. Sua curiosidade entrementes crescerá a ponto de melhorar as minhas possibilidades na segunda entrevista. Completadas as informações, retiro-me tão depressa quanto possível. Digo: "Muito obrigado pela confiança, Sr. Kothe. Refletirei sobre o asunto. Creio que tenho uma idéia que lhe poderá ser útil, e, logo que a tiver desenvolvida, telefonarei para marcar uma entrevista. O Sr. está de acordo?" E a resposta geralmente é: "Sim."

Uso o meu critério para resolver se devo marcar a data naquele momento mesmo, por exemplo, para a semana seguinte.

IMPORTANTE. Esses questionários devem ser guardados num arquivo, tal como os médicos mantêm registros completos de seus pacientes. São uma fonte de informações que progride com o progresso do próprio indivíduo. E tenho verificado que, à medida que esses homens progridem, têm sempre prazer em relatar-nos o seu progresso. Eles sabem, quando estamos sinceramente interessados, que somos pessoas com as quais podem discutir seus problemas, e partilhar seu êxito e suas satisfações.

Acho que a conversa inicial não deve ser decorada. Mas acho que *deve* ser escrita e lida várias vezes cada dia. Então, de repente, um dia, está sabida. Se for aprendida dessa maneira, nunca soará "engarrafada". Faça a experiência com sua esposa. Repita o ensaio com ela até que esteja bem sabido, que faça parte de si mesmo.

RESUMO

1. Não experimente atirar a "amarra" — atire a "retenida".

2. A aproximação deve ter um único objetivo: "vender" primeiro a entrevista em que tratará do negócio, não tentar impor logo o seu artigo. É a *venda preliminar*.

26. O SEGREDO DE MARCAR ENTREVISTAS

FAZ TRINTA e um anos que vou todas as semanas ao mesmo barbeiro, um homenzinho de ascendência italiana chamado Ruby Day. Um tio iniciara-o como aprendiz quando contava nove anos de idade. Era tão pequeno que precisava subir num banquinho. Os fregueses de Ruby acham que ele é sem dúvida um dos melhores barbeiros do mundo. Além disso, é como um raio de sol.

Apesar dessas qualidades, houve uma época, em 1927, em que Ruby andava mal de negócios. Chegou a ponto de ficar devendo quatro meses de aluguel e o senhorio da pequena loja onde instalara seu negócio ameaçava despejá-lo.

Uma sexta-feira à tarde, quando Ruby estava cortando meu cabelo, notei que parecia doente. Perguntei-lhe o que havia. Finalmente confessou-me que estava em grandes dificuldades. Para cumular tudo, sua esposa acabava de ter mais um filho, Ruby Jr.

Enquanto conversávamos, entrou mais um freguês e queria saber quanto demoraria para ser atendido. Ruby assegurou-lhe que não demoraria nada e então, com relutância, o freguês sentou-se e começou a ler uma das revistas.

Eu disse: "Ruby, por que não trabalha com hora marcada?"

"Ah, Sr. Bettger," respondeu ele, "não posso trabalhar com hora marcada; as pessoas não vão marcar hora com um barbeiro."

"Por que não?" perguntei.

"Isso está bem para um médico, ou advogado," disse ele, "mas ninguém vai marcar hora no barbeiro."

"Não sei por que não," insisti. "Eu pensava a mesma coisa em relação ao meu negócio até que um vendedor me convencesse que esse era o único modo certo de trabalhar."

"Seus fregueses gostam do seu trabalho, Ruby, e gostam de você, mas não gostam de esperar. Estou certo de que esse senhor aí estaria disposto a marcar com você uma hora certa todas as semanas, não é mesmo?"

"Claro!" assentiu o freguês.

"Está vendo," disse eu entusiasmado. "Agora marque já a minha hora, às sextas-feiras, às oito da manhã."

No dia seguinte, Ruby tinha um caderno de notas, e começou logo a telefonar a todos os antigos clientes, muitos dos quais não apareciam havia meses. Pouco a pouco, o caderno ficou cheio e tinha tôdas as horas tomadas. Com isso, suas preocupações financeiras acabaram-se de vez. Faz vinte anos que só trabalha com hora marcada. A freguesia tôda acostumou-se e gosta do sistema, porque lhe poupa tempo. Hoje R. B. (Ruby) Day possui uma casinha muito bonita no n.º 919 da Fox Chase Road, em Hollywood, Pensilvânia. A impressão que dá é a de um homem de negócios próspero e feliz.

Contei esta história uma noite numa escola para vendedores que estávamos dirigindo em Passadena, Califórnia. Havia na classe um motorista de taxi. Ao cabo de uma semana, apareceu em nossa sala ao lado do auditório e disse-nos. "Sou agora um homem de negócios!" Perguntamos o que queria dizer: "Bem," disse ele, "depois de ouvir aquela palestra na terça-feira, pensei comigo que, se um barbeiro pode marcar hora, também vou experimentar. No dia seguinte, levei o presidente de uma grande companhia até Glendale, para apanhar um trem. No caminho, perguntei-lhe quanto tempo se demoraria fora. Disse-me que voltaria à noite mesmo e concordou em que o fosse esperar. À noite, pareceu satisfeito quando o deixei à porta de sua casa, e deu-me uma boa gorjeta. Fiquei sabendo que ele fazia aquela viagem todas as semanas e que às vezes tinha dificuldade para encontrar um taxi. Marquei então com ele dia e hora certa para fazer aquele serviço todas as semanas. Além disso, deu-me os nomes de outros diretores da sua companhia para que eu combinasse serviço com eles. Quando telefonei a esses homens, disse-lhes que o fazia por sugestão do presidente da companhia. Esses telefonemas valeram-me mais dois serviços para o dia seguinte. Hoje comprei um caderno de apontamentos, e vou começar a fazer uma lista de serviços *regulares*, tal como fez o seu barbeiro. Agora me sinto um homem de negócios!"

Fiz a mesma sugestão ao meu camiseiro. Logo a maioria dos seus fregueses aparecia em horas marcadas.

Esses homens descobriram a mesma coisa que eu e milhares de outros em quase todos os ramos de negócio — as pessoas *preferem* trabalhar com horas marcadas!

1. Poupa tempo, ajuda a eliminar grande parte do trágico desperdício de tempo de que se queixam quase todos os vendedores. Poupa também o tempo do cliente.
2. Pedindo que nos marque hora, mostramos ao cliente que compreendemos ser ele uma pessoa ocupada. Instintivamente, ele também dá mais valor ao nosso tempo. Quando tenho uma entrevista marcada, sou ouvido com mais atenção e o cliente tem maior respeito pelo que falo.

3. Cada entrevista torna-se um acontecimento. Uma visita marcada eleva o vendedor da classe dos ambulantes para um nível mais alto.

Meu velho companheiro de quarto, Miller Huggins, era notório no futebol por ser um artilheiro, atingindo o gol com uma freqüência espantosa. Isto significava, naturalmente, que tinha uma habilidade muito maior. Verifiquei que marcar hora é semelhante a marcar um tento. A base da arte de vender é conseguir entrevistas, e o segredo de ser recebido com atenção e cortesia é "vender" antes a própria entrevista. São muito mais fáceis de vender do que rádios, aspiradores, livros, ou apólices de seguro. Quando compreendi bem isso, senti um grande alívio. Deixei de querer atingir imediatamente o gol. Passei a tentar colocar-me primeiramente numa posição favorável.

Quando telefono a alguém que conheço, peço simplesmentes que me marque uma entrevista, e em geral o consigo sem precisar dar explicações. Mas, quando a pessoa não me conhece, pergunta invariavelmente: "A respeito de que quer ver-me?"

Eis então o momento crítico. Se eu indicar que quero vender alguma coisa, já estou perdido, e a probabilidade de conseguir uma entrevista mais tarde é nula. A verdade é que eu posso não saber se o indivíduo precisa daquilo que lhe quero vender. Assim, o objetivo da entrevista é apenas uma discussão do assunto. Entretanto, ainda hoje preciso estar atento para não me deixar levar a falar em venda no telefone. É preciso concentrar-me numa coisa só, que é obter a *entrevista.*

Vou dar um exemplo típico: Outro dia, consegui falar no telefone com um homem que viaja a negócios, de avião, à razão de mais de dez mil milhas por mês. Nossa conversa foi a seguinte:

192

Eu. Sr. Aley, meu nome é Bettger, Frank Bettger, amigo de Richard Flicker. O Sr. lembra-se de Dick, não?
Aley. Sim.
Eu. Sr. Aley, eu sou um agente de seguros de vida. Dick sugeriu-me que o procurasse. Sei que o Sr. é muito ocupado, mas será que poderia conceder-me cinco minutos algum dia desta semana?
Aley. Sobre o que queria ver-me — seguros? Eu acabei de aumentar os meus seguros, faz poucas semanas.
Eu. Está muito bem, Sr. Aley. Se eu procurar vender-lhe qualquer coisa, será culpa sua, não minha. Poderei vê-lo por alguns minutos, digamos amanhã de manhã, pelas nove horas?
Aley. Tenho um compromisso para as nove e meia.
Eu. Bem, se eu tomar mais de cinco minutos do seu tempo, será ainda culpa sua, não minha.
Aley. Está bem. É melhor vir então às nove e quinze.
Eu. Obrigado, Sr. Aley. Estarei aí.

Na manhã seguinte, enquanto o cumprimentava, tirei o relógio do bolso e disse: "O Sr. tem outro compromisso às nove e meia, por isso vou limitar-me estritamente a cinco minutos."

Percorri o meu questionário o mais depressa possível. Terminados os meus cinco minutos, eu disse: "Bem, meus cinco minutos esgotaram-se. Há mais alguma coisa que o Sr. gostaria de contar-me, Sr. Aley? E durante os dez minutos seguintes o Sr. Aley contou-me tudo aquilo que eu realmente desejava saber a seu respeito.

Tem acontecido alguns clientes me reterem por uma hora ou mais além dos meus cinco minutos, contando-me tudo que lhes dizia respeito; mas nunca me cabe a culpa, e sim a eles!

Conheço muitos vendedores bem sucedidos que não trabalham com hora marcada quando visitam a clientela regular. Entretanto, interrogando-os, verifico que têm dias certos para as visitas e, geralmente, também a hora é mais ou menos a mesma. Em outras palavras, eles *esperados*.

"Eles não virão ao escritório." Havia um cartaz na parede de nosso escritório com esses dizeres impressos em letras grandes. Eu também sempre acreditei isso, até que ouvi uma palestra de Harry Wright, o dinâmico vendedor de Chicago. Harry descobriu que eles também *vêm* ao escritório. "Eu fecho sessenta e cinco por cento dos meus negócios em meu próprio escritório," disse ele. "Sempre sugiro o meu escritório para a entrevista, explicando ao cliente que lá não haverá interrupções e podemos concluir o negócio com mais rapidez e de modo mais satisfatório."

A princípio tive receio. Entretanto, verifiquei com surpresa que muitos clientes o preferem. Quando vêm ao meu escritório, nunca permito qualquer interrupção. Se o telefone tocar, respondo mais ou menos isto:

"Oh, como vai, Vernon. Você estará aí por algum tempo? Posso chamá-lo dentro de uns vinte minutos? Estou aqui com alguém que não quero fazer esperar. Obrigado, Vernon. Chamarei em seguida." Desligo então o telefone e peço à moça lá fora que corte todos os chamados enquanto o Sr. Thomas está comigo. Isto nunca deixa de agradar ao cliente.

Antes de ele sair, se não estiver com pressa, faço questão de apresentá-lo a outras pessoas do escritório que têm ajudado a servi-lo, ou que virão a servi-lo se ele se tornar nosso cliente.

Conheço muitos vendedores que acham essa uma oportunidade excelente para mostrar aos clientes seus escritórios, a indústria ou fábrica, onde poderão ver como seus artigos são produzidos.

HOMENS DIFÍCEIS DE ENTREVISTAR

A prática aperfeiçoará a técnica de marcar entrevistas. Naturalmente, sempre há alguns homens difíceis. Entretanto, verifiquei que, uma vez que se consiga chegar à sua presença, são os *melhores* clientes que se podem ter. Na minha experiência, não se ressentem de persistência, desde que os trato com cortesia. Dou abaixo algumas perguntas que costumam fazer, e idéias que me têm sido úteis:

1. "Sr. Brown, há alguma hora que seja mais conveniente para procurá-lo — de manhã cedo, ou no fim da tarde?" "Será melhor no princípio, ou no fim da semana?" "Poderia ir vê-lo à tardinha."

2. "A que horas o Sr. sai para almoçar? Gostaria que almoçássemos juntos algum dia desta semana. Poderia almoçar comigo amanhã na Union League, digamos ao meio-dia ou meio-dia e meia?"

3. Se o tempo dele for extremamente escasso, mas mostrar-se sinceramente inclinado a ver-me, eu pergunto às vezes: "O Sr. está com o seu carro, hoje?" Se ele disser "não", ofereço-me para levá-lo à sua casa no meu carro, acrescentando: "Isto nos dará alguns minutos de conversa."

4. É surpreendente como muitos homens que relutam em conceder-me uma entrevista marcada concordam logo em fazê-lo quando trato de fixar a data com bastante antecedência. Por exemplo, às sextas-feiras de manhã, quando estou planejando o trabalho da semana seguinte, telefono e digo: "Sr. Jones, estarei na sua vizinhança na próxima quarta-feira; se não for inconveniente, poderia passar para vê-lo por uns instantes?" Quase sempre ele concorda. Pergunto então se será melhor pela manhã ou à tarde, e às vezes ele marca a hora.

195

Quando percebo, depois de empregar todos os meios razoáveis, que ele não está realmente inclinado a cooperar, desisto definitivamente.

Alguns dos melhores contatos que fiz na vida foram homens extremamente difíceis de abordar. A modo de ilustração: Deram-me o nome de um engenheiro contratante em Filadélfia. Após telefonar várias vezes, soube que raramente aparecia no escritório exceto entre as 7 e 7,30 da manhã.

Na manhã seguinte entrei no seu escritório às sete horas. Estávamos no inverno, e lá fora era noite escura. Ele estava passando os olhos numas cartas sobre a mesa. De repente, apanhou uma pasta enorme e passou por mim sem me ver. Segui-lhe os passos até o carro. Quando abria a mala do carro, olhou para mim e disse:

"Qual é o assunto?"

Eu disse: "O Sr. mesmo."

Ele respondeu: "Não tenho tempo para falar com pessoa alguma hoje."

"Para onde vai agora?" perguntei.

"Collingswood, Nova Jérsei," respondeu.

"Deixe-me levá-lo no meu carro," sugeri.

"Não! Tenho uma porção de coisas no meu carro de que vou precisar hoje," respondeu ele.

"O Sr. se incomodaria se eu o acompanhasse?" perguntei. "Podemos conversar enquanto dirige. Isso lhe poupará tempo."

"Como vai voltar?" perguntou ele. "Terei de continuar até Wilmington, Delaware."

"Deixe isso a meu cuidado; não é problema," assegurei-lhe.

"Então vamos. Entre," disse ele abrindo um sorriso.

Até aquele momento ele não sabia sequer meu nome, nem sobre o que eu queria falar com ele, mas deixei-o em Wilmington e voltei a Filadélfia pelo trem de meio-dia com um pedido assinado.

Tenho viajado de trem para Baltimore, Washington e Nova York, acompanhando homens com quem dificilmente teria conseguido uma entrevista de outra maneira.

Cousas importantes que aprendi sobre o uso do telefone

Adquiri o hábito de sempre trazer comigo uma porção de níqueis, de maneira a poder usar os telefones automáticos onde quer que me encontre. Cheguei muitas vezes a sair do meu escritório e entrar na cabina telefônica mais próxima, simplesmente porque no escritório havia demais interrupções.

Depois que reservei a manhã de sexta-feira para o meu planejamento, passei a telefonar nessas horas a quase todas as pessoas que pretendia visitar na semana seguinte. Era surpreendente como às vezes conseguia anotar entrevistas para uma grande parte do meu itinerário da semana.

Levei muito tempo a perder o receio de deixar recado a um cliente, ou mesmo que não fosse cliente ainda, para que me chamasse depois. Depois de telefonar várias vezes sem conseguir falar com ele, o homem ficava com a impressão de que eu estava atrás dele por alguma coisa do *meu* interesse. Verifiquei que, deixando-lhe recado para me chamar, a impressão era que eu devia ter algo que fosse do *seu* interesse. Alguma coisa importante para *ele*.

Depois que me convenci da importância de "vender" primeiramente a entrevista, passei a conseguir quantas entrevistas fosse capaz de atender.

Quero repetir mais uma vez a regra que tanto me custou aprender:

Primeiro, "venda" a *entrevista*
Segundo, venda seu artigo

27. COMO APRENDI A LEVAR A MELHOR A SECRETÁRIAS E TELEFONISTAS

UM DIA da semana passada, ouvi uma esplêndida lição de como ser mais esperto do que as secretárias e telefonistas. Estava almoçando com o nosso grupo de sempre na Union League, quando um dos membros de nossa mesa, Donald E. Lindsay, presidente da Murlin Manufacturing Company, de Filadélfia, contou a seguinte história:

"Um vendedor chegou à fábrica esta manhã e queria falar com o Sr. Lindsay. Minha secretária saiu e perguntou-lhe se tinha uma entrevista marcada com o Sr. Lindsay. "Não", disse ele, "não tenho entrevista marcada, mas tenho uma informação que eu sei que ele quererá ouvir." Minha secretária perguntou-lhe o nome, e a quem representava. Ele deu seu nome, mas disse que o assunto era pessoal. Ela respondeu: "Bem, eu sou a secretária particular do Sr. Lindsay, se é algum assunto pessoal, talvez eu possa tratar disso. O Sr. Lindsay está ocupadíssimo agora."

"Mas isto é um assunto *particular*," insistiu o homem. "Acho que é melhor eu falar pessoalmente com o Sr. Lindsay."

"Naquele momento," explicou Don, "eu estava lá no fundo da fábrica. Minhas mãos estavam sujas de graxa; estava trabalhando com dois dos nossos mecânicos numa peça que tinha enguiçado. Lavei as mãos e passei para o escritório da frente."

"Não reconheci o camarada, mas ele apresentou-se, apertou-me a mão e perguntou se podia falar-me na minha sala particular por alguns minutos. Perguntei-lhe: "Qual é o assunto?" Ele respondeu: "O assunto é inteiramente particular, Sr. Lindsay, mas não levarei mais de alguns minutos."

"Quando estávamos na minha sala, o homem disse: "Sr. Lindsay, desenvolvemos um serviço de controle de impostos que lhe poderá poupar bastante dinheiro. Nada cobramos por esse serviço. Tudo de que necessitamos são algumas informações suas que serão consideradas estritamente confidenciais."

"Com isso, puxou do bolso um questionário e começou a fazer-me perguntas. Eu disse: "Espere um pouco. Você tem alguma coisa para me vender, e quero saber o que é. A quem representa?"

"Desculpe-me, Sr. Lindsay," disse ele, "mas..."

"Qual a companhia que representa?" perguntei.

"A A. B. C. Insurance Company. Eu..."

"*Saia daqui!*" disse eu. "Você entrou aqui com subterfúgios. Se não tratar de sair imediatamente, pô-lo-ei para fora!"

Don Lindsay fora do time de lutadores quando estudante da Universidade de Pensilvânia. Conhecendo-o como a maioria de nós o conhece, demos boas risadas, porque Don realmente sabe *como* pôr alguém para fora! Mesmo contando a história, o sangue subiu-lhe à cabeça e achamos que foi bom o vendedor ter saído tão prontamente.

Esse vendedor tinha muito boa aparência, e falava bem, contou-nos Don. Entretanto, analisemos alguns aspectos de sua tentativa de contato:

1. Não tinha entrevista marcada. O momento era inoportuno para o Sr. Lindsay, como geralmente é quando não somos esperados.
2. Disse à secretária o seu nome, que nada significava, porque se esquivou de responder à pergunta: "A quem representa?" Isto sempre causa suspeitas.
3. Quando a secretária lhe disse que o Sr. Lindsay estava ocupado, ele deu a entender que não acreditava — provocando ressentimento.
4. Conseguiu entrar por meio de *subterfúgio*, perdendo assim toda oportunidade de voltar àquela firma. Apesar de representar uma companhia boa, tornou extremamente difícil a *qualquer* dos representantes da mesma realizar no futuro algum negócio com aquela fábrica.

A experiência ensinou-me que conseguir falar com homens difíceis é mais uma questão de bom senso do que de empregar truques. Muitos vendedores parecem não reconhecer que a secretária pode ser para muitos homens de negócio uma pessoa importante. Em muitos casos, ela é o poder atrás do trono. Aprendi que, para conseguir ver o grande homem, o melhor é deixar o caso nas suas mãos e, em geral, ela acaba por abrir-me o caminho do santuário. Afinal, ela freqüentemente é quem manda no chefe no que diz respeito aos seus horários de entrevistas. Quando tratamos com a secretária de um homem, estamos tratando com sua "mão direita". Verifiquei que obtenho melhor resultado quando confio nela, sou honesto e sincero e mostro respeito pela sua posição.

Logo de início, trato de saber seu nome de algum empregado do escritório. Depois falo-lhe sempre pelo nome. Escrevo-o numa ficha de registro permanente, de sorte que não me esqueço dele. Telefonando mais tarde para obter uma entrevista, digo geralmente: "Srta. Mallets, bom dia! É o Sr. Bettger. Se fosse possível, gostaria que a Srta. me reservasse uns vinte minutos no programa do Sr. Harhaw, hoje, ou algum dia desta semana." Sei que muitas secretárias e recepcionistas consideram-no seu dever livrar os respectivos chefes do exército de vendedores. Mas não acredito que se devam empregar truques ou subterfúgios para contornar a situação. Um homem esperto, de personalidade dominadora, poderá muitas vezes levar a melhor sobre a secretária sem definir o objetivo de sua visita. Um vendedor de sangue frio e conversação fluente poderá conseguir seu intuito uma vez ou outra, mas acredito que a melhor maneira de levar vantagem sobre secretárias e telefonistas é nunca tentar!

28. UMA IDÉIA QUE ME AJUDOU A ENTRAR PARA A "LIGA DOS CAMPEÕES"

Tenho observado com surpresa que muitas das idéias por mim aplicadas à profissão de vender foram aprendidas no futebol. Por exemplo, quando eu jogava com o time de Greenville, Carolina do Sul, o técnico, Tommy Stouch, disse-me um dia: "Frank, se você soubesse só chutar, os clubes de primeira andariam atrás de você."

"Será que há algum meio de eu aprender?" perguntei.

"Há mais de um campeão que não sabia chutar melhor do que você", declarou Tom.

"Como conseguiram chegar a campeões?" perguntei, duvidoso.

"Treinando, meu caro, aprendendo a chutar," disse Tom. Trezentos chutes na bola todas as manhãs. É isso que faz o campeão!"

Fiquei tão excitado que tentei juntar alguns dos outros jogadores do time para fazer a experiência, mas acharam que era loucura. Disseram que um nortista não poderia suportar o sol meridional de manhã e de tarde. Meu companheiro de quarto, porém, Ivy (Reds) Wingo, que era de Norcross, Georgia, disse que gostaria de experimentar.

Saíamos então todas as manhãs antes que o sol ficasse muito quente. Dávamos nossos trezentos chutes cada um. Transpirávamos um bocado, mas afora isso o treino não nos fez mal algum, e até nos divertimos muito.

Naquele verão mesmo Reds e eu fomos ambos vendidos a um dos clubes importantes de St. Louis.

E o que tem isso a ver com as vendas? Apenas isto: dez anos mais tarde, depois de ter deixado o futebol, e quando já estava no negócio de vendas havia uns dois anos, um sulista chamado Fred Hagen, tipo forte e bonito, foi transferido de nosso escritório de Atlanta para Filadélfia. Fred tinha personalidade e era dono de um sorriso que valia ouro, mas toda a sua experiência como vendedor tinha sido adquirida entre fazendeiros do sul, de sorte que teve de aprender a falar de maneira diferente. Começou a praticar comigo, fazendo eu o papel do cliente.

Era a mesma idéia que eu aprendera no futebol. Contei a Fred a história do meu aprendizado com "Reds" Wingo — trezentos chutes por dia. Fred ficou entusiasmado com a idéia e insistiu em que eu fizesse as *minhas* conversas para ele. Começamos a ensaiar um com o outro, até sabermos tudo de cor e salteado. Eu acabei até gostando de falar como vendedor, queria praticar com todo mundo que encontrava! Resultado? Comecei a fazer mais visitas aos clientes. Quando um vendedor faz poucas visitas, freqüentemente a verdadeira razão é que perdeu o interesse e entusiasmo pela conversa que tem de travar com o cliente.

Um jornalista foi uma noite aos camarins para entrevistar John Barrymore, depois de sua qüinqüagésima-sexta representação de Hamlet. Teve de esperar uma hora e meia, até terminar o ensaio. Quando finalmente apareceu o grande ator, o repórter disse: "Sr. Barrymore, estou surpreendido, não imaginei que, depois de cinqüenta e seis representações na Broadway, ainda precisasse ensaiar. O Sr. está sendo aclamado como o maior Hamlet de todos os tempos, um gênio do teatro!" Barrymore riu-se com gosto. "Ouça," disse em seguida. "Quer saber a verdade? Durante cinco meses, nove horas por dia, eu li, reli, estudei e recitei esse papel. Pensei que nunca conseguisse metê-lo na cabeça. Estive várias vezes por desistir. Cheguei a acreditar que não tivesse talento para representar e que fora um erro escolher a carreira de ator. Sim, há um ano, eu queria *desistir*, e agora me chamam de gênio. Não é ridículo?"

Eu me achava numa espécie de ponto morto ao tempo em que li essa história. Fiquei tão animado com a leitura que resolvi pedir ao nosso gerente que me deixasse fazer uma demonstração de venda em nossa agência. Pela expressão dele, concluí que ninguém jamais havia feito semelhante pedido. Isso me estimulou e passei a ensaiar a minha demonstração, dias a fio, sem parar. À medida que eu ia melhorando, meu entusiasmo crescia e eu ensaiava com redobrada energia. Enquanto estava procurando aperfeiçoar a representação, tive uma nova idéia para o final. Pouco antes do dia da demonstração, fechei uma venda grande que eu sabia não teria conseguido realizar se não tivesse feito aqueles ensaios todos. Toda vez que me pediram para representar uma entrevista diante de qualquer grupo, sempre me beneficiei mais — muito mais, provavelmente — do que o meu auditório. Creio que o orgulho, o amor-próprio impele-me a me preparar e ensaiar até que me sinta bem seguro.

Algum tempo antes de morrer, Knute Rockne, famoso treinador de futebol, de Notre Dame, Indiana, realizou uma palestra perante uma das maiores organizações de vendas do país. É uma das mensagens mais práticas e mais inspiradoras que já li. Eis a essência da mesma:

> Na Universidade de Notre Dame, temos cerca de trezentos rapazes — entre veteranos e calouros. Passam tempo praticando os movimentos

básicos, sempre de novo, com uma constância e persistência notáveis, até que esses movimentos básicos se tornem naturais e inconscientes como o respirar. Depois, no jogo, não precisam parar e pensar o que fazer quando o momento requer ação rápida. Os mesmos princípios aplicam-se à profissão de *vender*. Se quiser ser um ás no jogo de vender, conheça bem as regras fundamentais, tenha-se em mente como o A. B. C. da cartilha, de sorte que façam parte de si mesmo. Conheça-as tão bem que, não importe o ponto em que o prospectivo cliente se desvie da conversa dirigida para o fechamento do negócio, você seja capaz de reconduzi-lo sem que qualquer dos dois tenha consciência do fato. Você não poderá desenvolver essa perfeição apenas olhando-se no espelho e considerando que sua companhia fez um bom negócio ao contratá-lo. É preciso exercitar-se *diariamente*, durante muito tempo, com vontade e perseverança!

Foi isso que impediu John Barrymore de desistir e o levou a tornar-se o maior intérprete de Hamlet, em seu tempo.

Foi o que alçou muitos jogadores de futebol do anonimato para o rol dos campeões! De alguns, os feitos até hoje se contam e servem de inspiração aos ambiciosos.

Sim, foi isso que me tirou do grupo dos menores e me colocou nas fileiras dos campeões de futebol, e das vendas também.

RESUMO

1. O melhor momento para preparar um discurso é em seguida a um discurso que se acaba de pronunciar; o mesmo se aplica à conversa de venda. Tôdas as coisas que deveriam ter sido ditas, e não ditas, estão bem presentes na sua memória. Escreva-as *imediatamente!*

2. Escreva o que pretende dizer, palavra por palavra. Procure aperfeiçoar. Leia e releia o escrito até sabê-lo perfeitamente. Mas não o decore. Experimente-o com sua esposa. Se não estiver bom, *ela* lh'o dirá. Ensaie a conversa com seu gerente. Com outro vendedor. Repita-a até fazê-lo com prazer.

Knute Rockne disse: *"Treinar... Treinar... Treinar...."*

29. COMO FAZER O CLIENTE COLABORAR NA REALIZAÇÃO DA VENDA

Há UM VELHO provérbio chinês que diz: "Uma demonstração vale mais do que mil palavras." Aprendi que uma boa regra é nunca *dizer* qualquer coisa que se possa representar. Melhor ainda: nunca represente você mesmo qualquer coisa quando é possível deixá-lo a cargo do cliente. Deixe que o cliente faça a encenação. Ponha-o em ação. Em outras palavras: *Deixe que o cliente colabore na realização da venda.*

Tomemos alguns exemplos reais de como a encenação foi usada para ajudar a fechar a venda:

NÚMERO 1. A General Electric e companhias congêneres havia anos que vinham tentando convencer as diretorias de escolas da necessidade de iluminação moderna nas salas de aula. Realizaram-se numerosas conferências... milhares de palavras... E o resultado? Nenhum! De repente, um vendedor teve uma idéia — uma demonstração cênica. De pé diante da diretoria de ensino de uma cidade, segurava um cano de aço acima de sua cabeça. Em seguida, agarrando as duas pontas com as mãos, curvou ligeiramente o cano, dizendo: "Senhores, eu posso dobrar o cano até este ponto, e ele volta a endireitar-se imediatamente (*soltando o cano*) mas, se eu o dobrar além de um certo ponto, ele ficará curvado e não se endireitará mais" (*dobrou o cano até estalar ligeiramente no meio, perdendo a flexibilidade*). É o que acontece com os olhos das suas crianças na escola. Suportarão um certo grau de esforço. Além desse grau, ficarão com a *visão permanentemente prejudicada!*"

Resultado? Levantou-se dinheiro. Instalou-se imediatamente a iluminação moderna!

NÚMERO 2. Vejamos como uma coisinha simples como um fósforo foi usada com muito efeito para "dramatizar" um dos pontos mais vantajosos de um refrigerador conhecido em todo o país. Segurando um fósforo aceso na frente da cliente o vendedor disse: "Sra. Hootnanny, nosso refrigerador é absolutamente silencioso... tão silencioso como este fósforo aceso."

NÚMERO 3. Quase todos os vendedores acham necessário, de tempo em tempo, apresentar aos clientes uma demonstração em cifras. Tenho observado que faz muito mais efeito deixar o cliente fazer os cálculos. Digo apenas: "Sr. Henze, quer fazer o favor de escrever estes números que eu vou lhe dar?" Ele fica sempre muito mais atento e interessado; distrai-se menos. Parece até que a idéia foi dele. Passa a compreender melhor e convence-se com seus próprios números. Em outras palavras, isso o põe em ação. Mais tarde, chegando ao fim, deixo que ele mesmo faça o resumo. Digo de novo, "Sr. Henze, quer escrever, por favor?" Repito então o sumário de forma abreviada: Número um... Número dois... Número três... Número quatro... Cria-se uma expectativa, um "clímax" natural. *Ele próprio* está colaborando para fechamento do negócio!

NÚMERO 4. Durante um pequeno "sketch" que eu estava dando uma noite numa escola de vendedores em Portland, Oregon, sobre artigos de drogaria, um distribuidor de tecidos de lã por atacado viu-me "dramatizar" perante um "cliente" um novo tipo de escova de dentes. Colocando uma grande lente de aumento na mão do cliente, passei-lhe uma escova de dentes do tipo comum e uma outra, do *novo* tipo, dizendo: "Olhe para estas escovas através da lente, e observe a diferença." Aquele vendedor de tecidos estava tendo prejuízo por causa de concorrentes que trabalhavam com um tecido mais barato; era incapaz de convencer seus fregueses de que a boa qualidade é economia. Resolveu então usar uma lente de bolso do mesmo modo como eu tinha usado aquela lente para demonstrar a qualidade das escovas de dentes. "Fiquei surpreendido," contou-me mais tarde, "com que prontidão os fregueses reconheceram a diferença. Minhas vendas aumentaram imediatamente.

NÚMERO 5. Um camiseiro de Nova York disse-me que as suas vendas aumentaram de 40 por cento quando instalou um aparelho cinematográfico em sua montra. O filme apresentava um homem mal vestido candidatando-se a um emprego, e sendo recusado. O candidato seguinte, vestido com apuro, obteve o emprego imediatamente. O filme terminava com a frase: *"Boas roupas são um bom investimento."*

NÚMERO 6. Meu amigo Dr. Oliver R. Campbell, de Filadélfia, reconhece o valor da representação. Tira radiografias dos dentes de seus clientes e projeta-as nas paredes do consultório. Seus clientes podem assim ver projetados os seus próprios dentes e gengivas. O Dr. Campbell dizia que costumava esfalfar-se para convencer os clientes da necessidade de cuidarem dos dentes antes que fosse tarde. Depois que começou a "dramatizar", nunca mais precisou falar.

209

NÚMERO 7. Eis uma demonstração que uso em meu negócio e que produz resultados seguros. Uso-a para apresentar estatísticas, e tenho verificado que impressiona muito aos homens ricos. Coloco uma caneta-tinteiro preta sobre a mesa do cliente, bem na sua frente; ao lado da caneta coloco uma moeda de prata bem polida e, do outro lado, um níquel. Pergunto então: "Sabe o que é isto?" O homem geralmente responde: "Não, o que é?" Sorrio e digo: "A caneta é o Sr. quando morrer; a prata representa o que o Sr. é agora; o níquel representa o que sobrará para a sua viúva e filhos depois que seus executores testamentários tiverem pago todos os impostos e outras despesas." Digo em seguida: "Sr. Mehrer, permita que lhe faça uma pergunta. Suponhamos por um momento que o Sr. tenha deixado de viver no mês passado. O Sr. e eu somos os executores. Temos de converter três quintos dos bens em dinheiro a fim de pagar os impostos. Como faremos isso? Depois, deixo que *ele* fale!

Grandes e rápidos progressos foram feitos nos últimos anos neste terreno da "dramatização" dos fatos. É um método infalível para vender suas idéias. Não deixe de aproveitá-lo o melhor que puder.

RESUMO

"Uma demonstração vale mais do que mil palavras." Se possível, deixe que o cliente faça a demonstração. Faça o cliente colaborar na venda.

30. COMO CONQUISTAR NOVOS CLIENTES E FAZER COM QUE OS ANTIGOS NOS RECOMENDEM ENTUSIASTICAMENTE

OUTRO DIA, resolvi calcular quantos automóveis comprei até hoje. Verifiquei, com surpresa, que foram uns trinta e três carros.

Agora pergunto: Quantos vendedores diferentes imaginam que me venderam aqueles trinta e três automóveis? Exatamente trinta e três. Não é extraordinário? Nem um só daqueles vendedores, que eu saiba fez uma tentativa sequer de entrar novamente em contato comigo. Aqueles indivíduos que pareciam tão interessados em minha pessoa antes de eu comprar, nunca se deram ao trabalho de sequer telefonar-me para saber se tudo estava em ordem. Tão logo eu havia pago o dinheiro e eles embolsado sua comissão, era como se tivessem subitamente desaparecido da face da terra.

Será isso um fato fora do comum? Não; tenho perguntado a milhares de pessoas, nas palestras realizadas por todo o país, e mais da metade declararam ter tido experiência semelhante.

Provará isso que vender automóveis é diferente de vender outros artigos? Será mais vantajoso para o vendedor de automóveis esquecer o freguês e dedicar toda sua atenção à procura de novos compradores? Vejam, então,

212

a recomendação que uma grande organização de vendas fez aos seus vendedores: *Nunca se esqueça de um cliente; nunca deixe que o cliente se esqueça de você.* Já adivinharam qual é essa organização de vendas. É a Chevrolet Motor Company. Adotando essa legenda, alcançaram o primeiro lugar em vendas no mundo, entre todos os outros industriais de automóveis, e mantiveram esse lugar durante treze dos últimos quinze anos, o que pode ser provado por cifras registradas.

ESTIME A PROPRIEDADE DO OUTRO

Creio que não há novidade em dizer que todo mundo que compra qualquer coisa aprecia a cortesia e um serviço atencioso. Portanto, não perderemos tempo discutindo isso. Sejamos francos e consideremos o assunto sob um ponto de vista inteiramente egoísta.

Fazendo um retrospecto da minha carreira de vendedor, lamento apenas não ter passado o *dobro* do tempo visitando cliente, estudando e procurando atender aos seus interesses. Digo isto no sentido literal, e com sinceridade. Eu poderia dar uns cem exemplos tirados dos meus arquivos, de casos em que teria tido maior lucro financeiro, com menos tensão nervosa, menor esforço físico — e mais satisfação.

Sim, se eu tivesse a possibilidade de viver de novo toda a minha carreira, adotaria como lema a figurar na parede em frente à minha escrivaninha o seguinte: *Nunca se esqueça de um cliente; nunca deixe que um cliente se esqueça de você.*

Há anos, comprei uma casa bastante grande. Gostei imensamente da casa, mas o preço era tão alto que, depois de fechar o negócio, fiquei pensando se não teria sido um erro. Comecei a ficar preocupado. Duas ou três semanas após a nossa mudança para a casa nova, o corretor chamou-me ao telefone dizendo que queria falar-me. Era um sábado de manhã. Quando ele chegou, eu estava curio-

213

so. Ele sentou-se e começou por dar-me os parabéns pela sábia escolha daquela propriedade. Contou-me depois muitas coisas sobre a casa e algumas histórias interessantes a respeito dos terrenos em redor. Mais tarde, levou-me para uma volta pela redondeza, mostrou-me diversas casas bonitas e disse-me os nomes dos proprietários. Alguns eram pessoas de destaque. Fez com que eu me sentisse orgulhoso. Aquele vendedor mostrou até *mais* entusiasmo e apreço pela minha propriedade do que quando estava procurando vendê-la. Mas nenhum entusiasmo teria então sido exagerado, pois ele falava da *minha propriedade*.

Aquela visita certificou-me de que eu não havia cometido um erro, e deu-me grande satisfação. Senti-me grato ao vendedor. De fato, naquela manhã estabeleceu-se em mim uma forte inclinação por aquele homem. Nossas relações tornaram-se algo mais do que o simples contato entre comprador e vendedor. Tornamo-nos amigos.

Isto custou-lhe toda uma manhã de sábado, que ele poderia ter empregado para arranjar outro negócio. Entretanto, cerca de uma semana depois, telefonei-lhe para lhe indicar o nome de um amigo chegado que estava interessado em adquirir uma casa próxima da minha. Meu amigo não comprou aquela casa, mas, dentro de pouco tempo, o mesmo corretor encontrou uma outra que lhe convinha e fechou um ótimo negócio.

Uma noite, em S. Petersburgo, Flórida, eu falava nesse assunto. Na noite seguinte, um dos meus ouvintes procurou-me e contou a seguinte história:

"Esta manhã, uma pequena senhora de meia-idade, entrou em nossa loja e queria ver um belo broche de diamantes. Finalmente, comprou-o, e preencheu um cheque. Enquanto eu estava embrulhando o estojo, lembrei-me daquilo que o Sr. disse a respeito de "apreciar a *sua* propriedade". Quando entreguei o pacotinho à senhora, pus-me a gabar o broche mais do que quando o tinha vendido a ela. Contei-lhe que o brilhante era um dos mais finos que já tivemos na loja, que tinha vindo de uma das maiores minas de diamantes do mundo, na África do Sul, e que eu fazia votos por que ela vivesse muitos anos para ter o prazer de usá-lo.

"Sabe, Sr. Bettger", acrescentou ele, "os olhos dela encheram-se de lágrimas e ela disse que eu a tinha feito tão feliz — porque ela já havia começado a ficar preocupada, pensando que talvez fosse tolice gastar tanto dinheiro numa jóia para si mesma. Acompanhei-a até a porta, agradeci-lhe sinceramente e convidei-a a voltar a nos visitar. Uma hora mais tarde, a pequena senhora voltou com outra senhora de idade que estava no mesmo hotel. Apresentou-me à amiga como se eu fosse seu próprio filho e pediu que as acompanhasse pela loja. A segunda senhora não comprou um objeto tão caro quanto a primeira, mas *fez* uma compra. Quando as deixei à saída, sabia que tinha feito duas novas amigas."

Nunca se sabe quando alguém nos está avaliando. Anos atrás, uma velhinha simplesmente vestida entrou numa grande loja. Os outros vendedores nem lhe prestaram atenção, enquanto um deles não só a atendeu com toda a cortesia mais ainda lhe carregou os pacotes até a porta da rua. Vendo que chovia, segurou o guarda-chuva da senhora, tomou-lhe o braço e acompanhou-a até a esquina, ajudando-a a tomar um ônibus. Poucos dias depois, o dono da loja recebeu uma carta de Andrew Carnegie, agradecendo-lhe a cortesia dispensada à sua mãe. A seguir, fez-lhe encomenda de todos os móveis da casa nova que acabara de construir.

Querem saber o que aconteceu com o jovem vendedor que mostrara tanta sensibilidade para com uma freguêsa? Esse vendedor é hoje chefe de uma grande loja de seções numa das maiores cidades do Este.

Algum tempo atrás, perguntei ao Sr. J. J. Pocock, de Filadélfia, um dos maiores distribuidores de Frigidaires. "Qual é sua melhor fonte de novos negócios?" O Sr.

Pocock respondeu a minha pergunta com poucas palavras: "Os que usam geladeiras." Depois acrescentou algo mais com uma ênfase tão significativa que nunca me esqueci. Reforçou o dito com fatos tão expressivos, que no dia seguinte mesmo tentei aplicar a idéia, a ver se dava resultado. Funcionou às maravilhas. Funciona sempre, não pode falhar! Eis o que disse o Sr. Pocock:
"Clientes novos são a melhor fonte de novos negócios. Novos clientes!"

Perguntei-lhe por quê? Ele respondeu: "Novos clientes estão sempre cheios de entusiasmo e satisfação pela compra realizada, especialmente quando se trata de algum aparelho novo. Põem-se logo a contar aos amigos e vizinhos a respeito. Nossos vendedores fazem visitas de cortesia uma semana mais ou menos depois da instalação de todos os nossos produtos elétricos. Vão saber se a geladeira ou o que for está funcionando direito e o cliente satisfeito. Fazem sugestões e oferecem serviços. Podem-se arranjar mais negócios através dêsses compradores recentes do que de qualquer outro modo."

O Sr. Pocock contou-me a respeito de inquéritos que sua companhia costuma fazer em vários pontos do país. Os resultados eram constantes. Por exemplo, numa cidade típica do Meio-Oeste, verificou-se que, de 55 novos compradores interrogados, somente 17 haviam recebido visitas de cortesia. Oito desses 17 deram aos vendedores nomes de interessados que, por eles procurados, fizeram compras no valor de 1.500 dólares. Uma atitude de mera cortesia resultou imediatamente em novos negócios no montante de 1.500 dólares. Mas vejam isto: Se *todos os 55 novos compradores* tivessem sido prontamente visitados, qual teria sido o resultado? Calculemos: 1.500 dólares divididos por 17 visitas = 90 dólares por visita. 90 dólares X 55 = 4.900!

Disse o Sr. Pocock: "A experiência ensinou-nos esta lição: *"Depois de vender, não esqueça o comprador!"*

Eis mais um fato significativo que me contou: "Mais de metade dos compradores que interrogamos dizem-nos que foi um amigo ou parente quem primeiro os interessou na compra."

A última coisa que o Sr. Pocock me disse foi: "Se você cuidar dos seus clientes, eles cuidarão de você."

Por muitos anos tenho trazido comigo uma carta. Raramente deixa de produzir efeito, onde quer que eu a apresente. Com algumas alterações, o modelo poderá servir a quem queira usá-lo.

> Sr. William R. Jones.
> Real Estate Trust Building.
> Philadelphia, Pa.
>
> Prezado Bill:
>
> Quero apresentar-lhe Frank Bettger. Em minha opinião, é um dos homens mais entendidos em seguros de Filadélfia. Deposito nele inteira confiança e tenho-lhe seguido as sugestões com proveito.
>
> Talvez você não esteja, no momento, interessado em seguro de vida, mas vale a pena ouvir o Sr. Bettger, porque ele tem algumas idéias muito construtivas e poderá prestar ótimos serviços a você e sua família.
>
> Cordialmente,
>
> *Bob*

Vou dar um exemplo de como usei esta carta recentemente. Havia lido no jornal da manhã que amigos meus, Murphy & Quigley Company, emprêsa de construções, tinham fechado um novo contrato. Dentro de vinte minutos, eu havia telefonado a Robert Quigley e marcado uma entrevista. Quando entrei no seu escritório, cumprimentei-o com um largo sorriso de satisfação: "Parabéns, Bob!"

Enquanto o abraçava, ele perguntou: "Por quê?"

Eu disse: "Acabo de ler no *Inquirer* desta manhã que vocês obtiveram o contrato para o novo edifício da U. G. I."

"Ah, obrigado", sorriu ele. Estava satisfeito, como é natural. Pedi-lhe que me contasse tudo a respeito, e fiquei ouvindo atentamente!

Finalmente, eu disse: "Ouça, Bob, enquanto preparava o seu orçamento, provavelmente pediu orçamentos a vários subempreiteiros, não é?"

"Claro", respondeu ele.

Tirei do bolso a carta de apresentação. Passando-a às suas mãos, eu disse: "Bob, você com certeza já prometeu o serviço a alguns desses subempreiteiros que apresentataram orçamentos baixos, não é mesmo?"

Sorrindo, ele disse: "Sim, a uns dois ou três."

Quando acabou de ler a carta, perguntou: "Que quer que eu faça, escrever esta carta em papel da firma para um desses camaradas?"

Saí do escritório com quatro cartas de apresentação para empreiteiros de encanamento, aquecimento, instalações elétricas e pintura.

Não é sempre conveniente para um homem dar-me uma carta de apresentação; por isso, levo comigo um cartão de 10 x 6cm. com os seguintes dizeres, por exemplo:

A *Herbert E. Doen*

APRESENTANDO

FRANK L. BETTGER

Harry Schmidt

Meu amigo escreve na parte superior do cartão o nome do cliente em perspectiva, depois assina seu nome.

Caso ele hesite, eu digo: "Olhe, se seu amigo estivesse aqui agora, você não hesitaria em apresentar-me, não?" Geralmente ele diz: "Não, claro que não." E preenche o cartão. Às vezes me dá até mais de um.

Uma vez por outra, acontece os homens se recusarem a indicar qualquer nome. Cerca de um ano atrás, um meu cliente, homem calejado, respondeu-me isto: "Eu não o mandaria ao meu pior inimigo!"

"Por quê?" perguntei.

Êle disse: "Olhe, Bettger, eu *detesto* gente de seguro. Detesto vê-los entrarem aqui. Se algum deles me viesse aqui dizendo que vinha mandado por um de meus amigos, eu ficaria furioso! E chamaria ao telefone o tal que o tivesse mandado e lhe diria o que penso. Tudo menos um agenciador de seguro!"

Isto era realmente franqueza rude. Fiz um esforço e consegui sorrir, dizendo: "Está muito bem, Sr. Blank, creio que compreendo seus sentimentos. Vamos fazer uma coisa. Dê-me o nome de alguém que conheça, com menos de cinquenta anos, que esteja em situação próspera. Prometo-lhe que *jamais* mencionarei a ele o seu nome.

"Bem", disse ele, "nesta base, se você puder achar um jeito de ser recebido por Carroll Zeigler, fabricante de instrumentos cirúrgicos, Rua n.º 918, ele tem quarenta e um anos de idade e é um industrial muito próspero.

Agradeci-lhe a informação e prometi mais uma vez não mencionar o seu nome.

Tomei o carro e fui diretamente à fábrica do Sr. Zeigler. Entrei no seu escritório e disse: "Sr. Zeigler, meu nome é Bettger. Sou agente de seguros. Um amigo comum deu-me o seu nome, com a condição de eu não mencionar o nome dele. Contou-me que o Sr. tem tido grande êxito na sua indústria e que uma conversa consigo me poderia ser muito útil. Poderá conceder-me cinco minutos agora, ou prefere que eu venha em outra ocasião?"

"Sobre o que quer falar comigo?" perguntou ele.

219

"Sobre o Sr. mesmo", foi a minha resposta.

"Mais o quê? Se é a respeito de seguros, não estou interessado."

"Perfeitamente, Sr. Zeigler", disse eu, "não vou falar-lhe de seguros hoje. Pode me dar apenas cinco minutos?" Ele me concedeu exatamente cinco minutos. Nesse tempo, consegui obter dele todas as informações de que precisava.

Desde então fiz três negócios com o Sr. Zeigler, somando um total muito apreciável. Eis aqui uma coisa curiosa: Tornamo-nos bons amigos, mas ele nunca me perguntou quem me havia mandado.

Qual é o melhor momento para seguir um filão indicado? Dentro de seis dias? Ou seis semanas? Seis minutos é o que acho melhor, ou o menor espaço de tempo possível. Um filão novo é como o ferro quente. Se eu não for imediatamente, enquanto estou animado, o caso se perde nos meus arquivos e perco o interesse. Quando, mais tarde, tiro o cartão do arquivo, parece-me, para usar a comparação de um dos nossos jovens vendedores, John Lord, "tal como um pão amanhecido."

Nunca sabemos o que poderemos encontrar seguindo um desses filões. Muitas vezes o amigo que o indicou está a par de alguma situação vantajosa sem ter, porém, liberdade para a revelar.

RECONHECIMENTO

Eis uma cortesia que acho tão importante quanto obter a indicação de um nome. Seja o resultado qual for, bom ou mau, sempre volto para contá-lo ao amigo que me deu a informação, demonstrando-me assim a sua confiança. A omissão seguramente ofenderá o amigo. Ele poderá nunca referir-se ao fato, mas este poderá predispô-lo contra nós. Estou certo disso, pois já estive em ambas as posições, e tenho sentido a reação desfavorável tanto como fornecedor como na situação de recebedor de uma recomendação.

Além disso, quando volto a procurar o amigo para relatar-lhe um negócio feito, mediante sua recomendação, ele se mostra tão satisfeito quanto eu. Quando não sou bem sucedido, volto e conto-lhe exatamente o que aconteceu. É quase certo que ele se lembrará de uma indicação melhor.

Há pouco tempo, almoçava com o presidente de um banco importante numa cidade do Oeste. Ele deu-me cópia do padrão de carta que foi estabelecido como o mais eficiente para expressar reconhecimento aos clientes que apresentam amigos ao banco:

> Prezado Sr. Brown:
>
> Desejo comunicar-lhe o quanto lhe somos gratos por ter encaminhado o Sr. Smith ao nosso banco. O espírito de colaboração e amizade por V. S. demonstrados ao apresentar o Sr. Smith e outros amigos ao First National Bank tem sido para nós motivo de grande satisfação. Estaremos sempre prontos para servi-lo e aos seus prezados amigos da melhor maneira possível.
>
> Cordialmente.

Muitos anos atrás, tive a grande sensação de ver Willie Hoppe ganhar o campeonato mundial de bilhar. Fiquei surpreendido com o tempo que ele gastava estudando algumas tacadas muito simples, que mesmo eu poderia ter dado. Descobri logo, porém, que não eram aquelas tacadas fáceis que ele estudava; ficava pensando como ganhar posição para a tacada seguinte e talvez para toda uma série de próximas jogadas. O oponente de Hoppe parecia dar tacadas tão boas quanto ele, mas freqüentemente ficava em má posição para a jogada seguinte.

Agora posso compreender melhor como foi possível para ele levantar aquele inacreditável recorde mundial de mais de 15 milhões de pontos no bilhar. Recordista durante quarenta e três anos. Não há recorde igual em qualquer outro esporte!

A grande lição que aprendi com Willie Hoppe naquela noite, e que nunca esqueci, é esta: *É tão importante preparar a posição para a jogada seguinte na profissão de vender quanto o é no bilhar.* Na verdade, é a própria essência da nossa profissão!

Robert B. Coolidge, vice-presidente da Aetna Life Insurance Company de Hartford, Connecticut, exprimiu a mesma idéia da seguinte forma: "Angariar clientes é como fazer a barba... se a gente não a fizer todos os dias, vira logo barbudo".

RESUMO

1. "Nunca esqueça um cliente; nunca deixe que o cliente o esqueça."

2. "Se cuidar dos seus clientes, eles cuidarão de você."

3. Aprecie a propriedade *DELE*.

4. Novos clientes são a melhor fonte de novos negócios... *novos* clientes!

5. Quando é a melhor oportunidade de seguir um filão indicado? Dentro de seis dias... ou seis semanas?... Seis minutos, acho que é *a melhor*.

6. Nunca deixe de mostrar-se reconhecido por uma indicação. Relate os resultados, quer sejam bons ou maus.

7. Prepare a posição para a jogada seguinte.

31. SETE REGRAS QUE SIGO PARA FECHAR UM NEGÓCIO

RECORDAM-SE de como fiquei tão desanimado que cheguei a querer desistir, e teria desistido se não me viesse a idéia, um sábado de manhã, de procurar descobrir a raiz dos meus males.
 Primeiro perguntei a mim mesmo: *"Qual é, afinal, o problema?"* Era o seguinte: Eu não estava tendo lucros bastante altos para o número enorme de visitas que fazia. Tudo corria muito bem, até o momento de fechar o negócio. Então o cliente costumava dizer: "Bem, Sr. Bettger, vou pensar no assunto. Volte a ver-me outro dia." Era o tempo que eu gastava em visitas subseqüentes que estava causando minha depressão.
 Em segundo lugar, perguntei a mim mesmo: *"Quais são as soluções possíveis?"* Para responder, abri meu livro de apontamentos dos últimos doze meses e passei a estudar os fatos. Fiz uma descoberta espantosa! Setenta e cinco por cento das minhas vendas haviam sido concluídas na primeira entrevista. Vinte e três por cento na segunda. E apenas sete por cento na terceira, quarta, quinta etc. Em outras palavras, eu estava gastando metade do meu dia de serviço em negócios que me rendiam somente sete por cento. A solução era evidente. Cortei imediatamente

todas as visitas além da segunda, e passei a empregar o tempo assim ganho em procurar novos clientes. Os resultados foram extraordinários. Logo o rendimento médio de cada visita subiu de 2.80 dólares para 4.27 dólares.

Será que o mesmo resultado se aplicaria à venda de qualquer outro artigo? Provavelmente já sabem a resposta por experiência própria. Vou dar um exemplo. Uma grande firma industrial fez um estudo, durante dois anos, dos relatórios apresentados pelo corpo total de vendedores. Ficaram espantados ao verificar que 75 por cento das vendas concluídas pelos seus vendedores eram realizadas *depois* da quinta entrevista! Mas ouçam isto: descobriram também que 83 por cento dos seus vendedores de rendimento mais baixo deixaram de vender *antes* da quinta entrevista!

O que prova isso? Confirma a importância de se manterem registros completos, e de estudá-los regularmente. O valor enorme dessa prática tanto para o vendedor como para a firma tem sido demonstrado tantas vezes que me admira não ter ela sido estabelecida como *compulsória* por todos os diretores de vendas.

Se bem que minha descoberta me capacitasse a dobrar meus rendimentos pela eliminação de todas as visitas além da segunda, as cifras mostraram também que eu estava concluindo apenas um negócio em cada doze. Eu ainda não sabia como levar as pessoas a uma decisão mais rápida.

Uma noite, pouco depois, eu tive a sorte de ouvir o Dr. Russell H. Conwell, fundador da Temple University, falar na sede da Associação Cristã de Moços, de Filadélfia. O assunto era: "As quatro regras para um bom discurso." Chegando ao final de sua inspiradora palestra, o Dr. Conwell disse: "Número quatro. Estimule a Ação! Eis onde tantos bons oradores falham. Convencem de um modo geral, mas não conseguem ganhar o apoio do seu auditório. Divertiram-no, causaram boa impressão, mas nada lhe conseguiram *"vender."* É a base mais empolgante para um "climax" desde que se começou a falar em público..."

Estímulo à Ação! Era aí que eu falhava. Comecei a ler tudo que podia encontrar sobre o assunto de fechar a venda. Verifiquei que sobre este ponto se escreveu provavelmente muito mais do que sobre qualquer outra etapa do negócio. Falei com vendedores de classe e ouvi o que tinham a dizer sobre o estímulo à ação. De tudo isso, e mais alguma coisa proveniente de minha própria experiência, resultaram as sete regras principais que constituíram a base de todo o êxito que consegui alcançar na arte de levar as pessoas à decisão:

1. DEIXE OS PONTOS FINAIS PARA O FIM

Na minha ansiedade de vender, eu procurava precipitar o fechamento do negócio. Aprendi que, via de regra, a venda bem sucedida passa por *quatro* fases: 1) Atenção, 2) Interesse, 3) Desejo, 4) Fechamento.

Quando comecei a segurar os pontos finais para o fim, isso dava ensejo ao prospectivo cliente de julgar o meu plano com melhor disposição mental. Evitava que se estabelecesse a resistência à compra. Depois, quando chegava o momento da ação, meu entusiasmo era todo espontâneo! Minhas frases habituais me vinham com mais facilidade, e tinham maior poder de convicção. Em lugar de forçar o entusiasmo, eu tinha de conter a minha excitação. E verifiquei que a *excitação contida* é extraordinariamente eficaz para despertar o entusiasmo do cliente na hora de fechar o negócio.

2. SINTETIZE

Descobri que um bom sumário fornece a melhor base para o ponto culminante, a conclusão da venda. Que comprimento deve ter o sumário? Um teste esplêndido é o que usa um notável gerente de vendas. Treina cada um de seus vendedores para resumirem as vantagens de seu artigo enquanto segura um fósforo aceso. Em todo caso, um sumário deve ser breve.

Acho-o até mais eficiente quando posso fazer o comprador escrever o sumário. Com isso, ponho-o em ação. Eu digo: "Quer fazer o favor de escrever estes pontos?" Repito então o sumário em menos palavras: "Número Um... Número Dois... Número Três... Número Quatro..." É uma progressão natural, em que o comprador nos acompanha, até o ponto em que ele mesmo estará ajudando a fechar o negócio.

3. UMA FRASE MÁGICA

Após apresentar o plano e resumi-lo, olho para o cliente e pergunto: "Que acha do plano?"

É surpreendente a freqüência com que responde: "Acho-o ótimo." Tomo isto como indício de que ele concorda em comprar e não perco mais um instante. Começo a fazer as perguntas necessárias e escrevo as respostas no formulário a ser assinado pelo cliente. Começo sempre com perguntas sem importância. Uma vez que começou a responder, ele raramente recua. Quando há alternativas no plano, faço-o escolher o que preferir.

Creio que é importante mencionar aqui que, durante a apresentação do plano, procuro obter alguns sinais de assentimento do cliente. Por exemplo, depois de chamar-lhe a atenção para algum aspecto interessante, digo: "O Sr. não acha isto uma boa idéia?" Em geral ele concorda e diz "Sim."

4. OBJEÇÕES A SEREM ACOLHIDAS

Levei tempo para compreender que os melhores clientes são aqueles que levantam objeções. Fiquei surpreendido quando aprendi que muitas das objeções que me fizeram bater em retirada, eram na realidade sinais de interesse pelo negócio. Por exemplo: "Não posso dispor do dinheiro agora... Volte a procurar-me em janeiro... Volte daqui uns seis meses... Quero pensar melhor... Quero conversar a respeito com minha esposa. Seu preço é muito alto. Acho que posso fazer negócio melhor."

Aprendi que objeções desse gênero *não* são recusas. Exemplo: Se a objeção for: "Não posso dispor do dinheiro", o cliente está na realidade dizendo que *desejaria* fazer o negócio. Assim, o único problema é mostrar-lhe como poderá pagar. As pessoas raramente se ressentem da insistência de um vendedor quando o assunto é colocado em termos do interesse delas. Ao contrário, admiram e respeitam-no por isso.

5. POR QUÊ?... ALÉM DISSO?...

Preciso voltar novamente à frase: "Além disso". Procuro reservar essa frase como trunfo final. Uso o "porquê" durante toda a entrevista, sob formas diferentes. Embora não use sempre a própria palavra, estou indagando do mesmo modo.

Darei um exemplo relatando a conclusão de um negócio tal como me foi contado por um vendedor que assistiu aos nossos cursos em Chattanooga, Tennessee, alguns anos atrás. Esse vendedor, ou melhor, agenciador, pois que angariava inscrições para um curso de administração de negócios, havia chegado àquela parte da entrevista em que o cliente disse: "Bem, eu não posso dicidir agora... venha procurar-me dentro de uns dois meses... em meados de setembro."

"Esse foi o momento crítico", disse-me o agenciador.

Vejam agora como ele conseguiu levar avante o assunto e obter a inscrição:

CLIENTE. *Procure-me* depois do dia 15 de setembro.

AGENCIADOR. Sr. Caroll, se o seu chefe o chamasse ao escritório amanhã e lhe oferecesse um aumento, o Sr. não

diria: "Procure-me depois do dia 15 de setembro", pois não?
CLIENTE. Claro que não. Ele julgaria que estou doente.
AGENCIADOR. Bem, mas não é praticamente o que o Sr. está me dizendo agora? Escreva o seu nome aqui (indicando a linha pontilhada), da mesma forma como está aí no alto da folha, e o Sr. já terá completado várias lições até o dia 15 de setembro.
CLIENTE. (*apanhando o formulário.*) Deixe isto comigo e mais o prospecto do curso. Vou pensar melhor e comunicar-lhe-ei o que resolver na próxima semana.
AGENCIADOR. Por que não assina agora?
CLIENTE. Acho que não devo entrar nesse curso agora.
AGENCIADOR. Por quê?
CLIENTE. Bem... é que realmente não posso dispor do dinheiro.
AGENCIADOR. (*pausa*)... Além disso, não haverá mais alguma coisa que o preocupa?... Não haverá alguma outra razão que o impede de tomar essa importante decisão?
CLIENTE. Não, a única razão é essa. Ando sempre com o dinheiro curto.
AGENCIADOR. Sr. Carroll, se o Sr. fosse meu próprio irmão, eu lhe diria o que vou dizer agora.
CLIENTE. O que é?
AGENCIADOR. Escreva seu nome aqui *agora*, e vamos começar!
CLIENTE. Qual é a menor importância que eu teria de pagar agora, e quanto teria de pagar por mês?
AGENCIADOR. Diga qual a quantia que poderá pagar agora, e eu lhe direi se pode começar.
CLIENTE. 25 dólares agora e 10 dólares por mês, serve?
AGENCIADOD. Feito. Assine seu nome aqui (x...) e já está dado o primeiro passo.
CLIENTE (*assina a fórmula.*)

6. Faça o cliente assinar a proposta aqui

X ....

Sempre marco com um grande "X" o lugar onde o cliente assina. Passo-lhe minha caneta e, indicando o X, digo: "Quer fazer o favor de assinar aqui, da mesma forma como escrevi seu nome no alto?" Sempre que possível, já tenho, a essa altura, a fórmula mais ou menos preenchida. Pelo menos, procuro sempre ter o nome e endereço do cliente inscritos.

7. Receba o pagamento com o pedido. Não se acanhe de cobrar

Os registros de vendedores prósperos mostram que a cobrança no ato é um dos fatores mais poderosos no fechamento do negócio. O comprador então dá maior valor ao produto ou serviço. Uma vez que pagou alguma coisa, o artigo passa a ser propriedade *dele*. Quando um cliente tem tempo de repassar o que dissemos e ponderar sozinho, resolve às vezes adiar a compra, mas eu nunca vi um homem cancelar um pedido quando já fez algum pagamento por conta.

O momento certo de fechar

Qual é o momento certo? Às vezes no primeiro minuto. Outras vezes, nem depois de uma hora — ou duas! Como saber quando é chegado o momento? Já tiveram ocasião de observar um grande lutador em ação? Joe Louis foi um dos maiores "fechadores" que já passaram pelas cordas. Vi Joe fechar três das suas lutas de campeonato. A multidão observava-o com a respiração suspensa, porque Joe se mantinha alerta, experimentando o oponente, esperando pacientemente pelo momento oportuno. Às vezes, esse momento surgia logo no primeiro round. Outras vezes, só depois do décimo ou décimo segundo. Mas Joe agia rapidamente a cada sinal para o término. Se acaso se enganasse, voltava ao jogo anterior. Sabia que cada tentativa o levaria mais *perto* do momento azado. Entretanto, nunca se mostrava ansioso.

Com os anos de experiência, minha técnica de vender melhorou gradualmente, e tornava-me cada vez menos consciente de qualquer esforço especial para concluir a venda. Se minha *abordagem* foi correta, se consegui despertar *interesse* e *desejo* suficientes, então, chegado o momento para a *ação*, o cliente está pronto a comprar.

Tentei aqui apenas explicar, de modo muito resumido, como aplico certas idéias que me têm sido *constantemente* úteis, técnicas que acredito possam ser usadas em qualquer ramo de vendas. Para um tratamento mais completo da conclusão do negócio, posso entusiasticamente recomendar o livro de Charles B. Roth, "*Secrets of Closing Sales*" (Segredos da Conclusão de Vendas), publicado pela editora Prentice-Hall, Inc., Nova York.

Escrevi os sete tópicos acima numa ficha de 7,5 x 12,5cm., a máquina, e levei-a no bolso por algum tempo. No alto da ficha figuravam as seguintes palavras, em maiúsculas:

ESTA SERÁ A MELHOR ENTREVISTA
QUE REALIZEI ATÉ HOJE

Instantes antes de entrar num escritório, para visitar um cliente em perspectiva, eu repetia essas palavras para mim. Tornou-se um hábito. E, ainda hoje, muitas vezes me surpreendo a repeti-las.

O *grande* valor da pequena ficha de 7,5 x 12,5cm., porém, foi este: depois de uma entrevista mal sucedida, conferia minha atuação com a ficha, a ver o que tinha feito errado, ou o que deveria ter feito de maneira diferente. Esse era o teste infalível!

RESUMO

ESTA SERÁ A MELHOR ENTREVISTA QUE REALIZEI ATÉ HOJE

1. Reserve os pontos finais para o fim. As quatro Etapas da venda normal são: 1) Atenção, 2) Interesse, 3) Desejo, 4) Conclusão.

2. Sintetize. Sempre que possível, deixe que o cliente escreva o sumário. Ponha-o em *ação!*

3. "Que acha da proposta? Apresentada a proposta, faça esta pergunta. O efeito é mágico!

4. Acolha as objeções! Lembre-se — os melhores clientes são os que levantam objeções.

5. "Por quê?... "Além disso?"... *Por quê?* — a palavra que faz o cliente falar, apresentar suas objeções. *Além disso?* revela a razão *verdadeira,* ou o ponto-chave.

6. Faça o cliente assinar aqui.

 ....

Prepare com antecedência a proposta ou fórmula de pedido. Tenha ao menos o nome do freguês escrito no alto. Nunca saberá se poderia ter concluído o negócio se não tivesse realmente tentado. conseguir a assinatura do cliente no pedido.

7. Receba pagamento com o pedido. *Não se acanhe de cobrar*. Os melhores vendedores dizem que pedir pagamento adiantado é um dos fatores mais importantes na conclusão de um negócio.

Confira sua atuação diariamente por estas regras.

Siga-as até que se tornem um hábito.

32. TÉCNICA SURPREENDENTE DE FECHAR NEGÓCIO QUE APRENDI COM UM VENDEDOR MESTRE

NOTA DO EDITOR: (*Que dizer a um cliente em perspectiva quando se volta para saber sua decisão final? O Sr. Bettger revela uma técnica extraordinária que lhe permitiu a conclusão de muitas vendas*).

EM 1924 aprendi uma técnica surpreendente de fechar negócios com um grande vendedor de nome Ernest Wilkes. Ao tempo de sua descoberta, o Sr. Wilkes era cobrador da Metropolitan Life Insurance Company de São Francisco, Califórnia, recolhendo os prêmios semanais de dez e vinte centavos de dólar dos empregados de indústrias segurados. Como vendedor, seu rendimento era baixo. Reunindo o pequeno salário e algumas comissões mal conseguia alimentar e vestir a esposa e filhos, nada sobrando para si. Suas roupas eram surradas e mal talhadas; as mangas do paletó e da camisa poídas.

A principal dificuldade de Wilkes como vendedor, segundo me contou, era que ele procurava precipitar tudo na primeira entrevista e acabava com o cliente dizendo que deixasse as informações, que ia pensar, e que voltasse na semana seguinte.

"Quando eu voltava lá," disse Wilkes, "eu nunca sabia o que dizer, porque já tinha dito tudo na primeira visita. A resposta era sempre a mesma: "Bem, Sr. Wilkes, pensei no caso e não vou poder fazer o negócio agora... vamos deixar isso para o ano que vem."

"Afinal, um dia, tive uma idéia," continuou Wilkes, excitado, o seu relato. "O resultado foi espantoso! Eu comecei a concluir as vendas quando voltava para a segunda entrevista!"

Enquanto eu ouvia a sua explicação do método, não me pareceu grande coisa. Entretanto, resolvi experimentá-lo. Na manhã seguinte, fui procurar um construtor de nome William Eliason, da Land Title and Trust Building, de Filadélfia. Dez dias antes, eu havia apresentado uma proposta ao Sr. Eliason, e ele dissera: "Deixe isso comigo, e venha ver-me dentro de duas semanas. Recebi propostas de mais duas companhias e quero estudá-las."

Segui exatamente as instruções do Sr. Wilkes. Eis o que sucedeu: primeiro, preenchi a fórmula a ser assinada pelo cliente com todos os dados que já possuía, tais como o nome completo, endereços de escritório e particular, bem como a quantia do seguro que ele havia dito que pensava fazer. Depois coloquei um grande X na linha pontilhada reservada para a assinatura do cliente. Wilkes havia dito que esse "X" era um ponto importante.

ASSINATURA DO REQUERENTE

Assim prevenido, fui procurar o Sr. Eliason. Quando entrei no escritório geral, a porta da sala dele estava aberta, e vi-o sentado à mesa. A recepcionista não se achava ali no momento. Ele levantou os olhos e reconheceu-me. Fez que "não" com a cabeça e abanou a mão em sinal de despedida.

Decidido a seguir à risca as instruções recebidas de Wilkes, continuei a caminhar em direção ao homem, com fisionomia séria. (Este é um dos momentos em que o sorriso não é aconselhável.) O Sr. Eliason disse em tom decidido: "Não. Nada feito. Resolvi adiar o negócio. Talvez volte a pensar nisso daqui a uns seis meses."

Enquanto ele falava, eu tirei, com calma, a fórmula do bolso e, desdobrando-a continuei a caminhar na sua direção. Chegando junto à mesa, coloquei em cima o papel, bem na frente do Sr. Eliason.

Só então pronunciei as primeiras palavras, conforme instruções de Wilkes: "Estes dados estão corretos, Sr. Eliason?"

Enquanto ele lia, eu tirei a caneta-tinteiro do bolso, ajustei-a para escrever, mas fiquei quieto. Na verdade, eu estava nervoso. Tudo aquilo me parecia errado.

O Sr. Eliason levantou a cabeça: "O que é isto, um requerimento?"

"Não", respondi eu.

"Como, não! Aqui diz "requerimento" bem no alto," retorquiu ele, apontando o lugar.

"Não será um requerimento enquanto o Sr. não assinar seu nome aqui," disse eu. (Enquanto falava, estendi-lhe a caneta aberta, e indiquei com um dedo a linha pontilhada.)

Ele fez exatamente o que Wilkes predissera — tomou a caneta da minha mão sem parecer ter consciência do gesto! Começou a ler de novo, em silêncio.

Finalmente, levantando-se, caminhou devagar até a janela e encostou-se ao parapeito. Ele devia ter lido todo o texto, palavra por palavra. O silêncio era absoluto. Passados bem uns cinco minutos, voltou à escrivaninha, sentou-se, e começou a assinar, com a minha caneta. Enquanto escrevia, disse: "Acho melhor assinar isto. Do contrário, terei receio de morrer!"

Esforçando-me por controlar a voz, consegui dizer: "Quer dar-me um cheque pelo ano todo, Sr. Eliason, ou prefere pagar metade agora e o resto de seis meses?"

"Quanto é?" perguntou êle.

"Apenas 432 dólares", repliquei.

Tirando da gaveta o talão de cheques, olhou o saldo e disse: "Ora, acho que vou pagar tudo agora; daqui a seis meses estarei tão quebrado quanto agora."

Quando me passou o cheque, mais a caneta, precisei fazer um esforço para não dar um urro de alegria! O milagre descoberto por Ernest Wilkes, e que me parecera tão antinatural quando lhe ouvi a explicação, provara ser uma coisa natural!

Nunca me aconteceu alguém zangar-se comigo por causa da experiência. E, quando falha, nunca me impede de voltar mais tarde e tentar de novo concluir o negócio.

Qual é exatamente a base psicológica disso? Não sei. Talvez seja isto: trata-se de concentrar a mente da pessoa em *assinar* — não em recusar. Finalmente, consegue-se suplantar a razão que teria para não fazê-lo, até que seu subconsciente passe a ocupar-se das razões contrárias. Todos os pensamentos tendem a se traduzir em ação.

Se o seu cliente estiver bem esclarecido sobre a proposta, e você achar sinceramente que a ação é do interesse dele — por que começar tudo de novo na segunda entrevista? Por que não passar logo para a etapa final? O que acontece quando um time de futebol leva repentinamente a bola para a linha de frente do adversário? Há uma grande excitação, o time que está com a bola sente que nada os poderá deter. Esperam fazer o gol, e geralmente o fazem. Os adversários estão na defensiva, mas o entusiasmo e a decisão dos atacantes quase sempre vence.

Embora essa técnica seja indicada especialmente para a entrevista final, creio que a venda, muitas vezes se realiza mesmo na primeira visita, se soubermos manejá-la no momento propício. Muitas vezes, empregando essa técnica, tenho conseguido concluir na primeira entrevista negócios que antes eu abandonava por me parecerem as circunstâncias demasiado desfavoráveis.

Eis aqui uma experiência estranha. Depois de usar essa técnica por quase três anos, tive uma oferta da parte de uma grande instituição financeira. Era uma oferta muito lisonjeira. Ao fim da primeira entrevista, ficou assentado que eu iria refletir, e uma segunda entrevista foi marcada para dez dias mais tarde. Durante esse tempo, discuti a proposta com diversos amigos, homens mais velhos e mais experimentados. Minha decisão final foi de recusar a oferta.

Quando, dez dias depois, um funcionário da companhia me introduziu no elegante escritório da diretoria, *lá estava o meu contrato sobre a mesa, bem na minha frente, quando me sentei.* Estava completamente preenchido, em meu nome; havia um bonito selo de ouro em baixo e um "X" sobre a linha pontilhada onde eu devia assinar!

Passei algum tempo lendo o contrato, com calma.

Nenhuma palavra foi pronunciada.

Todas as razões pelas quais eu decidira *não* aceitar a oferta de repente se desvaneceram. Todos os motivos por que eu *deveria* aceitá-la começaram a agitar-se em minha mente... "o salário era muito bom; era um lugar seguro, com o qual eu poderia contar, quer estivesse doente ou são, os tempos bons ou maus... era uma companhia grande com a qual era vantagem estar ligado..."

Quando levantei os olhos e comecei a dizer ao diretor que eu resolvera não aceitar o cargo, e minhas razões, foi como se eu estivesse apenas repetindo frases decoradas que realmente não exprimiam o meu pensamento. Mas, para surpresa minha, ele não fez sequer uma tentativa de insistir. Estendeu-me a mão, apertou a minha e disse com cordialidade: "Sinto muito, Sr. Bettger, teria sido um prazer tê-lo conosco, mas desejo-lhe todas as felicidades, e espero que tenha sempre êxito."

O que foi estranho é que, só depois de ter saído do escritório, me ocorreu que aquêle homem tinha empregado *a mesma técnica* que eu vinha usando havia três anos, sem que eu percebesse o fato enquanto se passava! Vi então como era natural. Eu tivera mesmo a caneta dele na mão, mas não me lembrava de que ele m'a tivesse passado! Ele ficaria surpreendido se soubesse o quanto eu estivera próximo de assinar o contrato. Se ele não tivesse desistido imediatamente, se me tivesse retido apenas por mais uns instantes... *Eu teria assinado.*

Agora, querem saber o que sucedeu a Ernest Wilkes, o antigo agente de seguros industriais, pobre, mal vestido, que descobriu essa técnica de fechar negócios?

Ernest Wilkes tornou-se vice-presidente da maior corporação do mundo — a Metropolitan Life Insurance Company. Ao tempo de sua morte prematura em 1942, era por todos considerado o sucessor imediato do presidente dessa grande companhia.

SUMÁRIO

E

LEMBRETES DESTE CAPÍTULO

1. Prepare *com antecedência* a fórmula do pedido, proposta ou contrato, mesmo que possa preencher apenas o nome e endereço do cliente.

2. Marque com um *forte* "X" os lugares onde ele deverá assinar, caso seja necessária sua assinatura.

3. Suas primeiras palavras devem ser: "Está certo assim, Sr. Blank?" colocando o papel sobre a mesa, em frente ao cliente. Se for recebido de pé, coloque o papel, dobrado, nas mãos dele.

4. A bola então está em frente a linha do gol. É o *seu* momento! Um dos maiores serviços que um homem pode prestar a outro é ajudá-lo a tomar uma decisão inteligente.

RESUMO

QUINTA PARTE

LEMBRETES

1. Não tente atirar a *amarra* — atire a *retenida*. A aproximação deve ter um só objetivo — obter a entrevista para a venda. A primei coisa a vender não é o seu artigo — é a sua *entrevista*. É a venda preliminar.

2. A base das vendas está na obtenção de entrevistas. E o segredo de obter entrevistas proveitosas, atentas, corteses, é marcá-las com antecedência. Não se apresse em marcar logo o gol, procure primeiro colocar-se bem. Primeiro, venda a entrevista; depois, venda o seu produto.

3. A melhor maneira de "driblar" secretárias e telefonistas é nunca tentar! Seja honesto e sincero para com elas. Confie nelas. Nunca use de truques ou subterfúgios.

4. Se quiser ser um ás no jogo de vender, conheça as regras fundamentais — o A. B. C.

da profissão — tão bem que façam parte de sua pessoa..." Escreva o seu "roteiro de conversação", palavra por palavra. Trate de aperfeiçoá-lo sempre. Leia e releia-o até que lhe fique gravado na memória. Mas não o decore. Experimente-o com sua esposa, seu gerente, ou com outro vendedor. Ensaie-o até que possa fazê-lo com prazer. Knute Rockne disse: *"Treinar... Treinar... Treinar..."*

5. Procure dramatizar. "Uma demonstração vale mais do que mil palavras." Deixe que o cliente participe da demonstração. *Faça com que o ajude a realizar a venda.*

6. "Nunca se esqueça de um cliente; nunca deixe que um cliente se esqueça de você." Clientes novos são a melhor fonte de novos negócios... *novos* clientes! Aproveite sem perda de tempo qualquer "fila" que lhe seja dada. Relate os resultados — quer bons, quer maus. *Tome posição para a jogada seguinte.*

7. Recorde *diariamente* as regras para fechar a venda. Aplique-as até que lhe sejam tão naturais como o respirar. Reveja os "Lembretes" às páginas e depois de uma entrevista mal sucedida, a fim de ver em que errou, ou o que poderia ter feito de maneira diferente. Este é um teste duro.

Sexta Parte

NÃO TENHA RECEIO DE ERRAR

33. NÃO TENHO RECEIO DE ERRAR

ERA UMA linda tarde de sábado, no verão de 1927, e trinta e cinco mil excitados *fãs* do futebol lotavam completamente o Shibe Park, em Filadélfia. Previa-se uma "lavada" em regra no time de Babe Ruth! Bob Grove, um dos maiores zagueiros esquerdos de todos os tempos já havia, por três vezes, levado vantagem sobre Babe Ruth. A contagem era de dois a zero. Quando Babe Ruth, ao final do primeiro tempo, ia se dirigindo para os vestiários, em meio às vaias selvagens da assistência, olhou para as arquibancadas com o mesmo sorriso tranqüilo com que aparecera no começo, levantou a mão em aceno amigável e retirou-se com a maior calma do mundo.

No segundo meio-tempo, quando voltou para a sua posição, a situação era crítica. Os Athletics venciam os Yankees por 2 a 1. O jogo recomeçara e perdurava o predomínio dos Athletics. Os Yankees jogavam com dez homens apenas. Em dado momento Babe Ruth, recebendo uma bola adiantada, iniciou uma das suas características infiltrações. A multidão, antevendo a jogada, levantou-se como um só homem, num paroxismo de excitação!

"Entra, Grove!" urravam. Grove acompanhou a corrida de Babe Ruth, para interceptar a sua finalização.

Nesse momento a multidão tornou-se histérica. Parecia que Babe Ruth estava em boas condições para marcar. Chutou... às nuvens. A bola passou longe do gol. A multidão delirava. Babe Ruth, o grande campeão, falhara outra vez. Mas, eis que se apresenta uma nova oportunidade. Uma fraca rebatida de Grove, e a bola vai ter aos pés de Babe Ruth. Babe Ruth controla a pelota, dribla um adversário, invade a área e, com um magistral drible de corpo, tira Grove da jogada e finaliza no canto esquerdo, com um tiro indefensável. Dois a dois no placar! Estava-se nos últimos momentos do jogo. A multidão enlouquecia. Os Yankees predominavam neste final. Escanteio contra os Athletics. Batido este, a bola vem alta para o centro da área. Nunca vi alguém saltar tão prodigiosamente. O que se viu foi Babe Ruth um palmo acima do aglomerado de jogadores, com certeira cabeçada, selar a sorte do jogo. Três a dois!

Eu observara Ruth de perto quando olhou para as arquibancadas e saudou o público, naquele final do primeiro tempo. *A expressão sorridente de seu rosto era exatamente igual à que mostrou em ocasiões anteriores, quando vencera com a maior facilidade.*

Mais tarde, quando os Yankees, naquela mesma temporada, levantaram o campeonato americano, Grantland Rice entrevistou Babe Ruth. "Babe", perguntou, "que é que você faz quando o jogo está correndo mal?" Babe respondeu: "Continuo lutando. Sei que a velha lei das probabilidades pode favorecer tanto a mim quanto aos adversários, se eu continuar em competição. Que importa, se eu perder duas ou três oportunidades num jogo, ou passar uma semana sem dar dentro? O problema é o mesmo para todos, e não adianta eu ficar preocupado. O que tenho de fazer é lutar sempre, com todas as forças."

Essa fé inabalável na lei das probabilidades tornava Babe Ruth tranqüilo e permitia-lhe aceitar com um sorriso os maus momentos e as derrotas. Esta simples filosofia contribuiu enormemente para fazê-lo o grande campeão que é. Essa atitude de aceitar com o mesmo bom humor os triunfos e os fracassos tornaram-no uma das maiores atrações do jogo, um dos maiores sucessos de bilheteria e o jogador de mais alto preço de todos os tempos.

Por que será que, quando lemos a respeito dos grandes feitos dos expoentes do esporte, ou de negócios, raramente vemos mencionados os seus fracassos? Por exemplo: lemos agora sobre os espantosos recordes do imortal Babe Ruth, com seus 851 gols, mas um outro recorde mundial ainda não alcançado está cuidadosamente oculto nos registros, para jamais ser mencionado — *que ele errou mais vezes do que qualquer outro jogador na história.* Falhou 1.330 vezes! Mil e trezentas e trinta vezes ele sofreu a humilhação de voltar aos vestiários debaixo de vaias impiedosas. Mas nunca permitiu que o medo de falhar o inibisse ou diminuísse seus esforços. Quando chutava fora não contava isso como falha — era esforço!

Está desanimado com seus fracassos? Ouça! Suas probabilidades são tão boas quanto as dos outros. Se não encontrar seu nome entre os primeiros, não culpe os seus fracassos. Examine os seus registros. Você descobrirá provavelmente que a razão verdadeira é a falta de esforço. Não vai o bastante ao encontro das oportunidades. Não dá à velha lei das probabilidades ocasiões suficientes para favorecê-lo.

Estude estas médias: em 1915 Ty Cobb levantou o extraordinário recorde de todos os tempos marcando 96 gols. Em 1922, sete anos mais tarde, Max Carey, jogador dos Pittsburg Pirats, estabeleceu o segundo recorde, 51 gols. Significará isto que Cobb era duas vezes melhor do que Carey, seu maior rival? Decida você mesmo.

	Cobb	*Carey*
Tentativas	134	53
Falhas	38	2
Êxitos	96	51
Média	71%	96%

247

Verificamos que a média de Carey era muito melhor do que a de Cobb, mas Cobb fez 81 tentativas mais do que Carey. Essas 81 tentativas resultaram em 44 gols a mais. Arriscou-se a perder 81 vezes mais em uma temporada do que seu rival. Cobb entra para a história como o melhor jogador. É geralmente considerado o melhor de todos os tempos.

Ty Cobb não tinha medo de errar. Em compensação, há dezoito anos que, aposentado, vive confortavelmente e acha prudente pagar todo ano os prêmios de um alto seguro de vida, de sorte que seus executores testamentários terão dinheiro bastante para pagar os impostos de transmissão ao Tio Sam.

Você tem confiança em si mesmo e nas coisas que pretende fazer? Encontra-se preparado para enfrentar reveses e insucessos? Seja qual for a sua vocação, cada erro, cada insucesso é como um chute fora. Sua maior vantagem é o número de foras que tiver dado desde o seu último gol. Quanto maior o número, mais perto você está de acertar outra vez.

Fiquei verdadeiramente inspirado estudando o registro dos seguintes fracassos:

Um moço candidatou-se à legislatura em Illinois, e foi fragorosamente derrotado.

Entrou para uma sociedade comercial — fracassou — e passou dezessete anos de sua vida pagando as dívidas de um sócio inepto.

Amava uma linda jovem que se tornou sua noiva — e ela morreu.

Retornando à política, candidatou-se ao Congresso, e sofreu nova derrota.

Procurou então ser nomeado para um cargo público — mas não o conseguiu.

Candidatou-se ao Senado dos Estados Unidos — mais uma derrota.

Dois anos depois, foi ainda derrotado por Douglas.

Um fracasso após outros — fracassos ruidosos — grandes reveses; mas, a despeito de tudo, continuou lutando e tornou-se um dos maiores homens em toda a história.

Talvez já tenham ouvido falar a seu respeito. Seu nome era Abraão Lincoln.

Encontrei há pouco tempo um ex-vendedor que é agora funcionário no escritório de uma pequena indústria. Contou-me que o medo de fracassar causara o seu fracasso como vendedor. "Quando ia procurar um cliente por indicação de minha firma, eu ficava até contente quando não o encontrava. Se ele estava, eu tinha tanto medo de não obter o pedido que ficava nervoso, insistente demais e perdia toda naturalidade. Em conseqüência, meus míseros esforços eram nulos e não conseguia realizar negócio."

O medo do insucesso é uma fraqueza que é comum à maioria dos homens, mulheres e crianças.

Outro dia, almocei no Hotel Monte Alto com Richard W. Campbell, de Altoons, Pensilvânia. Dick alcançou um recorde fenomenal vendendo seguros de vida para a Fidelity Mutual Life Insurance Company. Eis um homem que se fez literalmente por si mesmo. Perguntei-lhe se alguma vez se sentira preocupado com as possibilidades de falhar. Fiquei surpreendido quando me contou que isso quase o fizera abandonar a profissão de vendedor. Ouçamos Dick por um momento:

"Ninguém pode imaginar como andei abatido e desanimado: sem dinheiro para pagar as dívidas — sempre quebrado. Entretanto, mais as coisas pioravam *menos* eu trabalhava. Fiquei tão envergonhado com os meus relatórios que comecei a enchê-los com visitas que nem tinha feito — (meus próprios registros particulares) sim, cheguei a querer enganar a mim mesmo. Nenhum homem pode cair muito mais! Um dia, tomei o carro e saí por uma estrada solitária. Num lugar deserto parei, desliguei o motor e lá fiquei sentado durante três horas. "Por que fez isso?" perguntei a mim mesmo. Fiquei furioso.

"Campbell" disse para mim, "se é esse o sujeito que você é — se você é capaz de ser desonesto consigo mesmo, será capaz de enganar os outros. Está fadado a fracassar... há somente uma alternativa, e você terá que escolher — agora mesmo. Isto não pode ser adiado — terá de ser *agora!*"

Desde esse dia, Dick tem mantido registros completos e precisos definindo o seu trabalho e seu plano de vida. Dick disse: "Neste mundo, ou nos disciplinamos ou seremos disciplinados pelo mundo. Eu prefiro disciplinar-me eu mesmo." Dick Campbell acredita que essa resolução o tornou capaz de desfazer-se completamente do medo de errar. Disse ainda: "Sempre que um vendedor perde o hábito de procurar assiduamente novos clientes, ele perde o senso da indiferença."

É o que Babe Ruht tinha — o senso da indiferença. O Irmão Gilbert, que foi quem descobriu Babe Ruth, disse: "Tinha melhor cara quando chutava fora do que quando marcava tentos."

O Dr. Louis E. Bisch, um dos mais destacados psiquiatras do país, escreveu: Cultive um pouco o hábito do "não importa"; não se preocupe com o que possam pensar os outros. Isto o valorizará e será mais apreciado e querido por todos."

Exagerando os esforços e ficando ansioso, você prejudica seu aspecto. Sua atuação será pior. Sim, seja ativo, mas não tenha medo de perder hoje. Não é o dia de hoje que vai fazer o seu sucesso ou o seu fracasso. Você não pode lavrar um tento todos os dias. A multidão gosta de ver um bom perdedor; todo mundo despreza o que abandona o jogo.

"Meu grande cuidado," disse Lincoln, "não é saber se você falhou, mas se está satisfeito com o fracasso."

Thomas Edison teve dez mil insucessos antes de inventar o bulbo incandescente. Estava convencido de que cada erro mais o aproximava do êxito.

Ninguém se lembrará dos seus erros anteriores quando você acertar o alvo.

Os insucessos nada significam quando no final vem o êxito. Este é o pensamento que nos deve encorajar quando o caminho a trilhar é áspero.

Prossiga sempre! Cada semana, cada mês, você estará melhorando. Logo chegará o dia de você conseguir realizar aquilo que hoje parece impossível.

Foi Shakespeare quem escreveu: "Nossas dúvidas são traidoras, e, pelo medo de tentar, fazem-nos perder o bem que poderíamos alcançar."

CORAGEM NÃO É A AUSÊNCIA DO MEDO, MAS A CONQUISTA DO MEDO

34. O SEGREDO DO SUCESSO DE BENJAMIN FRANKLIN E OS ENSINAMENTOS QUE DELE TIREI

ESTE CAPÍTULO deveria talvez estar no princípio do livro; guardei-o, porém, para o fim, porque me parece o mais importante de todos. É a trilha que segui.

Nasci durante a tempestade de neve em 1888, numa pequena casa, em um corredor de outras iguais, em Filadélfia. De ambos os lados da rua havia postes de iluminação, com intervalos de cerca de quarenta metros. Lembro-me de como, menino pequeno, eu costumava, ao anoitecer, esperar pelo acendedor de lampeões que passava pela rua carregando uma tocha acesa. Parava em cada poste, levantava a tocha até o lampião e o acendia. Eu ficava a olhá-lo até desaparecer de vista, deixando atrás um rastro de luzes, para que as pessoas pudessem enxergar o caminho.

Muitos anos depois, quando eu andava no escuro, tentando desesperadamente aprender a vender, encontrei um livro que exerceu uma influência extraordinária sobre minha vida, a *"Autobiografia de Benjamin Franklin"*. A vida de Franklin lembrava-me aquele acendedor de lampiões. Ele, também, deixou atrás de si um rastro de luzes para que outros pudessem ver o seu caminho.

Uma das luzes destacava-se como um grande farol, uma idéia que teve Franklin quando era apenas um pequeno tipógrafo em Filadélfia e vivia endividado. Achava-se um homem simples, de aptidões comuns, mas acreditava que seria capaz de adquirir os princípios básicos de viver com êxito, se pudesse apenas encontrar o método certo. De espírito inventivo, imaginou um método tão simples, porém tão prático, que qualquer pessoa poderia empregá-lo.

Franklin escolheu treze princípios que julgava ser necessário ou desejável aprender e procurar praticar, e dedicou uma semana da mais rigorosa atenção a cada um desses princípios separadamente. Desse modo, pôde percorrer a lista toda em treze semanas, e repetir o processo quatro vezes por ano. Encontrarão uma tradução exata dos treze princípios de Franklin, tais como aparecem na sua autobiografia, à página 256.

Aos setenta e nove anos, Benjamin Franklin escreveu mais sobre essa idéia do que a respeito de qualquer outra coisa que lhe aconteceu na vida — quinze páginas — porque sentia que a essa *única coisa* ele devia todo o sucesso de sua vida, e a sua felicidade. Terminou escrevendo: "Espero, por isso, que alguns de meus descendentes possam seguir o exemplo e colher os benefícios."

Quando li pela primeira vez essas palavras, apressei-me em voltar à página em que Franklin começou a explicar o seu plano. No decorrer dos anos, reli aquelas páginas dezenas de vezes. Eram para mim como que um legado!

Bem, pensei, se um gênio como Benjamin Franklin, um dos homens mais sábios e mais práticos que já andaram por este mundo, acreditava ser essa a coisa mais importante que fez, por que não havia eu de experimentá-la? Creio que, se eu tivesse freqüentado uma universidade, ou mesmo um ginásio, eu teria então pensado que eu era muito sabido para uma coisa dessas. Mas eu sofria de um complexo de inferioridade porque só frequentara a escola durante seis anos em toda a minha vida. Depois, quando descobri que Franklin só tivera *dois* anos de escola, e agora, 150 anos após a sua morte, as maiores universidades do mundo o cumulavam de honras, achei que eu seria um tolo se *não* o tentasse! Mesmo assim, mantive em segredo o que estava fazendo. Receava que os outros se rissem de mim.

Segui à risca o plano por ele traçado e exposto. Apenas o adaptei à minha profissão de vender. Entre os treze princípios de Franklin, escolhi seis, depois substituí sete por outros que me pareceram mais úteis no meu ramo, sobre pontos em que eu era especialmente fraco.

Eis a minha lista, na ordem que lhe dei para meu uso:

1. Entusiasmo.
2. Ordem: autodisciplina.
3. Considere o interesse dos outros.
4. Perguntas.
5. Ponto-chave.
6. Silêncio: ouça.
7. Sinceridade: mereça confiança.
8. Conhecimento do meu ramo de negócios.
9. Apreciação e elogio.
10. Sorria: satisfação.
11. Lembre-se de nomes e fisionomias.
12. Bom serviço e atenção.
13. Realização da venda: ação.

Fiz uma ficha de 7,5 x 12,5cm., um "lembrete", para cada um dos meus princípios, com um breve resumo do assunto, semelhante aos "lembretes" que encontraram neste livro. Na primeira semana, levei no bolso a ficha sobre *Entusiasmo*. Em momentos esparsos durante o dia, li os dizeres da ficha. Por uma semana apenas, resolvi dobrar o entusiasmo que eu vinha pondo nas minhas atividades de vendedor, e na minha vida. Na segunda semana, levei comigo a ficha sobre *Ordem: autodisciplina.* E assim por diante, cada ficha uma semana.

Após completar as primeiras treze semanas, e recomeçar com o primeiro assunto — *Entusiasmo* — eu sabia que estava alcançando melhor domínio de mim mesmo. Cada semana, eu adquiria melhor compreensão do assunto. Sentia-me mais compenetrado. Meu trabalho tornou-se mais interessante. Tornou-se até emocionante!

Ao fim de um ano, eu havia completado quatro cursos. Vi-me fazendo com naturalidade, inconscientemente, coisas que eu não teria tentado fazer um ano atrás. Apesar de estar longe de dominar com perfeição qualquer daqueles princípios, achei o plano, na sua simplicidade, uma fórmula verdadeiramente mágica. Sem ele, duvido que eu tivesse podido conservar meu entusiasmo... e *acredito que se uma pessoa puder conservar o entusiasmo por tempo suficiente, alcançará qualquer objetivo!*

Eis uma coisa que para mim é surpreendente: raramente encontrei alguém que nunca tivesse ouvido falar no plano de treze semanas de Franklin, mas nunca encontrei alguém que me contasse já o haver experimentado! Entretanto, perto do fim de sua longa e extraordinária vida, Benjamin Franklin escreveu: "Espero, por isso, que alguns de meus descendentes possam seguir o exemplo, e colher os benefícios."

Não conheço coisa melhor que um gerente de vendas possa fazer para assegurar o êxito aos seus vendedores do que tornar a prática desse plano compulsória para eles.

Lembrem-se de que Franklin era um cientista. Este plano é científico. Rejeitando-o, rejeitarão uma das idéias mais práticas que já lhes foram oferecidas. Estou certo disso. Eu sei o que fui capaz de realizar através desse método. Sei o valor que terá para qualquer pessoa que o queira empregar. **Não é um caminho fácil.** Não existe caminho *fácil.* **Mas é um caminho seguro.**

Os treze princípios de Franklin

(tais como os escreveu, e na ordem que lhes deu)

1. *Temperança* — Não coma até o embotamento; não beba até a exaltação.

2. *Silêncio* — Não fale sem proveito para os outros ou para si mesmo; evite a conversação fútil.

3. *Ordem* — Tenha um lugar para cada coisa; que cada parte do trabalho tenha seu tempo certo.

4. *Resolução* — Resolva executar aquilo que deve: execute sem falta o que resolve.

5. *Frugalidade* — Não faça despesa sem proveito para os outros ou para si mesmo; ou seja, nada desperdice.

6. *Diligência* — Não perca tempo; esteja sempre ocupado em algo de útil; dispense toda atividade desnecessária.

7. *Sinceridade* — Não use de artifícios enganosos; pense de maneira reta e justa, e, quando falar, fale de acordo.

8. *Justiça* — A ninguém prejudique por mau juízo, ou pela omissão de benefícios que são dever.

9. *Moderação* — Evite os extremos; não nutra ressentimentos por injúrias recebidas tanto quanto julga que o merecem.

10. *Asseio* — Não tolere falta de asseio no corpo, no vestuário, ou na habitação.

11. *Tranqüilidade* — Não se perturbe por coisas triviais, ou acidentes comuns ou inevitáveis.

12. *Castidade* — Evite a prática sexual sem ser para a saúde ou procriação; nunca chegue ao abuso que o enfraqueça, nem prejudique a sua própria, ou a paz de espírito ou reputação de outrem.

13. *Humildade* — Imite Jesus e Sócrates.

35. VAMOS TER UMA CONVERSA FRANCA, VOCÊ E EU

SE EU FOSSE seu próprio irmão, eu lhe diria o que vou dizer agora... você já não tem mais muito tempo! Não sei qual é a sua idade, mas suponhamos, por exemplo, que seja ao redor de 35 anos. *É mais tarde do que você imagina.* Não demora muito, terá 40 anos. E, uma vez passados os 40, o tempo caminha tão depressa! Eu é que sei. Neste momento em que escrevo, estou com sessenta e um anos de idade, e mal posso acreditar nisso. Sinto vertigens quando penso na rapidez com que passou o tempo desde que eu tinha quarenta anos.

Agora que já leu este livro, creio que sei o que sente. Exatamente o que eu sentiria se o estivesse lendo pela primeira vez. Você já leu tanto que agora talvez esteja confuso. Não sabe o que fazer com todas essas idéias.

Bem, poderá fazer uma destas três coisas:

PRIMEIRO. Nada. Neste caso, a leitura do livro terá provavelmente sido pura perda de tempo.

SEGUNDO. Você poderá dizer: "Muito bem, eis aí uma porção de boas idéias. Vou empenhar-me em aproveitá-las o melhor possível."

Se fizer isso — digo-lhe que será um fracasso.

TERCEIRO. Você poderá seguir o conselho de um dos maiores espíritos que este continente produziu até hoje, Benjamin Franklin. Eu sei exatamente o que ele diria se a você fosse possível sentar-se hoje a seu lado e pedir-lhe conselho. Diria que você deve tomar uma coisa por vez, e dedicar uma semana da mais rigorosa atenção a essa única coisa: *deixando todas as outras para a sua ocasião oportuna.*

Seja você tipógrafo, vendedor, banqueiro, ou sorveteiro de esquina, escolha treze tópicos que mais interessem às *suas* condições. Concentrando-se numa coisa só de cada vez, você alcançará melhor resultado em uma semana do que, de outra forma, em um ano. Sei que, ao fim de treze semanas, você ficará surpreendido com o progresso que fez. Se seus amigos, colegas, e sua família deixarem de notar que houve uma grande modificação em você — então *eu sei* que, ao tempo em que você estiver no segundo período de treze semanas, *todo mundo* verá em você uma pessoa muito diferente.

Terminarei este livro do mesmo modo como o iniciei.

Quando Dale Carnegie me convidou a acompanhá-lo em sua excursão de conferências, a idéia pareceu-me fantástica — entretanto, quando me encontrei frente àqueles rapazes dessa grande organização, A Câmara Júnior de Comércio, a presença deles inspirou-me tanto que logo me vi fazendo o que julgara impossível — realizando três palestras por noite, durante cinco noites consecutivas, ao mesmo auditório — em trinta cidades, de costa a costa.

Pareceu-me ainda mais fantástico escrever um livro. Mas comecei. Procurei escrever tal como falava — revendo em memória aquelas jovens fisionomias diante de mim — inspirando-me a continuar. O livro aí está. Espero que gostem dele.

NAS LIVRARIAS